AS AVÓS

DORIS LESSING
AS AVÓS

Tradução
Beth Vieira

3ª reimpressão

COMPANHIA DAS LETRAS

Copyright © 2003 by Doris Lessing

Título original
THE GRANDMOTHERS
Capa
WARRAKLOUREIRO
Foto de capa
EVENING STANDARD
GETTY IMAGES
Preparação
LENY CORDEIRO
Revisão
OTACÍLIO NUNES
VALQUÍRIA DELLA POZZA

Dados Internacionais de Catalogação na Publicação (CIP)
(Câmara Brasileira do Livro, SP, Brasil)

Lessing, Doris, 1919-.
As avós / Doris Lessing; tradução Beth Vieira. — 1ª ed. —
São Paulo: Companhia das Letras, 2007.

Título original: The grandmothers
ISBN 978-85-359-1141-1

1. Romance inglês I. Título

07-8795   CDD-823

Índice para catálogo sistemático:
1. Romanes: Literatura inglesa 823

[2021]
Todos os direitos desta edição reservados à
EDITORA SCHWARCZ S.A.
Rua Bandeira Paulista, 702, cj. 32
04532-002 — São Paulo — SP
Telefone: [11] 3707-3500
www.companhiadasletras.com.br
www.blogdacompanhia.com.br
facebook.com/companhiadasletras
instagram.com/companhiadasletras
twitter.com/cialetras

AS AVÓS

De ambos os lados de um pequeno promontório, pontilhado de cafés e restaurantes, havia um mar brincalhão porém digno, bem diferente do verdadeiro oceano que rugia e roncava do outro lado da bocejante baía cercada de rochas que todos chamavam — até nos mapas tinha este nome — de Dentes de Baxter. Quem fora Baxter? Uma boa pergunta, repetida sempre, e cuja resposta, enquadrada numa folha de papel habilmente envelhecido, estava pregada na parede do restaurante que ficava no ponto mais alto do morro, o que tinha a melhor, a mais proeminente e a mais atraente posição. Baxter's, esse era o nome, e lá todos afirmavam que a saleta feita de tijolos finos e junco fora a casa que Bill Baxter construíra com as próprias mãos. Viajante incansável, ele tivera a chance, como marinheiro, de topar com aquele paraíso de baía cercada por uma pequena língua de rochas. Versões anteriores dessa mesma lenda sugeriam nativos pacíficos e acolhedores. Onde foi que os Dentes entraram na história? Baxter era um explorador inveterado de praias e ilhas próximas até que, numa noite enluarada, tendo-se enfiado num barco minúsculo, feito de sobras de madeira e experiência, acabou indo a pique entre aqueles sete rochedos negros, bem diante de sua casinha, onde uma lanterna tão confiável quanto um farol dava as boas-vindas aos barcos que eram pequenos o bastante para entrar na enseada depois de transpor o arrecife.

Baxter's era agora muito bem plantada com grandes árvores que sombreavam mesas e cadeiras, e dos três lados abaixo havia o mar amigo.

Um caminho que atravessava em ziguezague os arbustos ia dar nos Jardins de Baxter, e, uma tarde, seis pessoas subiam o suave aclive, quatro adultos e duas meninas bem pequenas, cujos gritos de prazer faziam eco ao barulho das gaivotas.

Dois belos homens vinham na frente, não jovens, mas apenas o despeito poderia dizer que eram de meia-idade. Um deles mancava. Em seguida duas mulheres tão bonitas quanto eles, de uns sessenta anos — mas ninguém nem sonharia em chamá-las de velhas. Numa mesa evidentemente conhecida deixaram sacolas, cangas e brinquedos, gente serena e radiante, como são os que sabem usar o sol. Arrumaram-se todos, as pernas morenas e sedosas das mulheres terminando em sandálias negligentes, mãos competentes temporariamente em descanso. Mulheres de um lado, homens do outro, as duas meninas impacientes — seis belas cabeças? Com certeza eram parentes? Aquelas tinham de ser as mães dos homens; e eles só podiam ser os filhos. As meninas, clamando pela praia, no fim de uma trilha de pedra, foram avisadas pelas avós, e depois pelos pais, que deveriam se comportar e brincar sem alvoroço. Elas sentaram e começaram a desenhar figuras na areia com a ajuda dos dedos e de gravetos. Meninas muito bonitas — e assim tinham de ser, com progenitores tão belos.

De uma janela do Baxter's, uma moça chamou-os: "O de sempre? Querem que eu leve o de sempre?". Uma das mulheres acenou para ela, dizendo que sim. Logo apareceu uma bandeja, cujos sucos de fruta fresca e sanduíches integrais asseguravam que a família se importava com a saúde.

Theresa, que acabara de fazer os exames finais do ensino médio, estava passando um ano fora da Inglaterra, para onde regressaria assim que começassem as aulas da universidade. Essa informação ela oferecera meses antes, e em troca mantinha-se a par dos avanços das duas meninas em sua primeira escola. Nesse momento, Theresa indagava como estavam indo e, primeiro uma, depois outra, informaram-lhe que a escola estava indo muito bem. A bela garçonete voltou para seu posto dentro do Baxter's lançando um sorriso para os dois homens, o que fez com que as mulheres sorrissem entre si e depois para os filhos, um dos quais, Tom, comentou: "Mas ela nunca vai conseguir voltar para a Inglaterra, todos os rapazes estão dando em cima dela para que ela fique".

"Ela vai fazer papel de boba se casar e jogar fora essa chance", disse uma das mulheres, Roz — na verdade Rozeanne, a mãe de Tom. Porém a outra, Lil (ou Liliane), a mãe de Ian, argumentou: "Ah, não sei não", enquanto olhava para Tom. Essa permissão — ou saudação — ao que vinha a ser a reivindicação de ambos à vida fez com que meneassem a cabeça um para o outro, lábios comprimidos, de modo engraçado, como se estivessem escutando um diálogo muito ouvido, ou alguma coisa assim.

"Bem", disse Roz, "eu não me importo, dezenove é jovem demais."

"Mas quem sabe como pode acabar?", perguntou Lil, corando. Sentindo o rosto quente, fez uma pequena careta, que a deixou com uma expressão travessa, ou ousada, e isso estava tão distante do que ela era de fato que os outros trocaram olhares que não poderiam ser explicados tão facilmente.

Todos suspiraram, escutaram os suspiros uns dos outros e riram, uma risada franca e cheia que parecia reconhecer coisas não ditas. Uma das meninas, Shirley, falou: "Do que vocês estão rindo?". E a outra, Alice: "Qual é a graça? Não vejo nada engraçado", e copiou o ar de travessura consciente da avó, que na verdade não fora intencional. Lil não estava à vontade e corou de novo.

Shirley persistiu, querendo atenção: "Qual é a piada, papai?". Ao que os dois pais começaram a atiçar e a fustigar as filhas, atirando-as de um lado a outro, enquanto as meninas protestavam, desviavam o corpo e voltavam para mais, até o momento em que fugiram para os braços e o colo das avós, em busca de proteção. E lá ficaram, dedos na boca, olhos caídos, bocejando. Era uma tarde quente.

Uma cena de sonolência e satisfação. Em mesas semelhantes, ao redor das grandes árvores, pessoas tão felizes quanto eles curtiam o calor. O mar a toda volta, poucos metros abaixo, sussurrava, zombava e rebentava, e as vozes eram baixas e preguiçosas.

Da janela do Baxter's, Theresa, com uma bandeja de refrigerantes gelados momentaneamente suspensa no braço, olhou para a família. Lágrimas escorreram por seu rosto. Ela tinha se apaixonado por Tom, depois por Ian, depois por Tom de novo, porque eram belos, despreocupados, com um algo a mais, um ar de quem está saciado, como se tivessem passado a vida mergulhados em prazeres e, agora, retribuíssem em forma de ondas invisíveis de contentamento.

E a maneira como cuidavam das meninas, a tranqüilidade e a competência deles. E a forma como as avós estavam sempre por perto, fazendo dos quatro, dos seis... mas onde estavam as mães, as crianças têm mães, e essas meninas tinham Hannah e Mary, ambas surpreendentemente diferentes das famílias de louros com quem haviam casado, as duas miúdas, de cabelo escuro, mas também bastante bonitas, apesar de Theresa saber que nenhuma delas era boa o bastante para eles. Elas trabalhavam. Eram donas de um negócio. Era por isso que as avós estavam sempre por perto. Quer dizer então que as avós não trabalham? Sim, trabalham, mas são livres para dizer: "Vamos ao Baxter's" — e lá estavam eles, no Baxter's. As mães de vez em quando vinham também, e então eram oito.

Theresa estava apaixonada por todos. Finalmente entendera isso. Os homens, claro, seu coração sofria por eles, mas não muito. O que provocava lágrimas era vê-los ali, observá-los de longe, como fazia agora. Atrás dela, numa mesa perto do bar, estava Derek, um jovem agricultor que já manifestara o desejo de se casar com ela. Não tinha nada contra ele, na verdade até se sentia meio atraída, mas sabia que eles, aquela família, eram sua verdadeira paixão.

Sobre camadas profundas de sombras salpicadas de luz, sol aprisionado em árvore, o ar, quente e azul, misturado a bênçãos e felicidade, dava a impressão de estar prestes a porejar grandes gotas de algo semelhante a um orvalho dourado, que só ela podia ver. Foi nesse momento que resolveu casar-se com seu fazendeiro e ficar ali mesmo, naquele continente. Não poderia trocar o que tinha pelos encantos caprichosos da Inglaterra, de Bradford, muito embora os charcos lhe fizessem bem, quando o sol resolvia brilhar. Não, ela ficaria ali, ela tinha que ficar. "Eu quero, eu quero", disse consigo algumas vezes, deixando que as lágrimas corressem livres por fim. Ela queria a desenvoltura física, a calma disso, a se expressar em movimentos preguiçosos, em braços e pernas longos e morenos, e o clarão de ouro nas cabeças loiras que o sol visitava.

Bem quando reivindicava seu futuro, ela viu uma das mães subindo a trilha. Mary — sim, era ela. Uma mulher pequena, morena, inquieta, que não tinha nada da pose e do estilo da Família.

Ela vinha a passos vagarosos. Parava, olhava, continuava, parava de novo, movendo-se com uma ponderação estudada.

"Bem, o que será que deu *nela*? é o que me pergunto", refletiu Theresa, deixando finalmente a janela para levar a bebida a fregueses a essa altura já um tanto impacientes. Mary Struthers mal se mexia. Ela observava a família, de cenho franzido. Roz Struthers viu e acenou, acenou uma segunda vez, e, ao mesmo tempo que sua mão baixou devagar para o colo, como se tivesse recebido um recado para ter cautela, seu rosto começou a perder brilho e vigor. Ela olhava para a nora, mas era como se fosse indiretamente, e por causa do que seu rosto dizia, o filho, Tom, virou-se para olhar, depois acenar. Ian também acenou. As mãos dos dois voltaram ao lugar de origem, como a de Roz fizera; havia fatalidade naquilo.

Mary tinha parado. Havia uma mesa por perto e ela arriou numa cadeira. Sempre de olho em Lil, e depois em Tom, seu marido. De um lado a outro, os olhos acusatórios moviam-se sem parar. Olhos que buscavam a confirmação de algo. Na mão, levava um pacote. De cartas. Estava a uns três metros dos outros, olhando.

Theresa, tendo servido as outras mesas, estava de novo na janela, pensando pensamentos maldosos sobre Mary, essa mulher de um só filho, e sabia que eram de ciúmes, todos eles. Mas se defendeu assim: se ela fosse boa o suficiente para eles, eu não ligaria. Só que ela não é nada em comparação a eles.

Somente os olhos da inveja teriam descartado Mary, que era uma mulher interessante, atraente, de pele morena. Mas ela não estava bonita naquele momento; seu rosto pequeno tinha cor de lama e seus lábios pareciam menores. Theresa viu o maço de cartas. Viu as quatro pessoas na mesa. Como se estivessem brincando de estátua, pensou. E a cor fugindo delas. A esplêndida tarde podia estar em brasa, mas eles continuavam sentados, perplexos, imóveis. E Mary continuava olhando fixamente para todos, uma hora para Lil, ou Liliane, depois para Roz, ou Rozeanne; e delas para Tom, depois para Ian, e em seguida de volta para as duas mulheres, uma vez, duas.

Por um impulso desconhecido para ela, Theresa encheu um copo com a água de uma garrafa que estava na geladeira e correu até Mary. Devagar, Mary virou a cabeça para encarar o rosto de Theresa, mas não pegou o copo. Theresa o pôs na frente dela. Aí Mary foi atraída pelo brilho da água, estendeu a mão para pegar o copo, mas não foi em frente — a mão tremia demais para segurá-lo.

Theresa voltou para a janela. De repente, a tarde escurecera. Ela tremia também. Qual era o problema? O que acontecera de errado? Havia algo de horrível, de fatalmente errado, ali.

Por fim, Mary levantou-se, e, com dificuldade, cobriu a distância até a mesa onde estava sua família, deixando-se cair numa cadeira mais longe: ela não fazia parte deles.

Agora todos viam com clareza a pilha de cartas que ela trazia na mão.

Continuaram todos calados, olhando para Mary. Esperando.

Cabia a ela falar. Mas será que era preciso? Seus lábios tremiam, ela tremia, parecia à beira de um colapso, mas os olhos, certeiros, cheios de raiva, acusatórios, continuavam a se mover de um rosto a outro. Tom. Lil. Roz. Ian. A boca, torcida, dava a impressão de que tinha tocado em algo azedo.

"Qual o problema com eles, qual o problema?", perguntou Theresa lá da janela, e, se uma hora antes se convencera de que jamais poderia deixar um litoral como esse, cenário de tantas satisfações e plenitudes, agora pensava o oposto, que devia ir embora. Vou dizer ao Derek que não. Que eu quero sair daqui.

Alice, a criança no colo de Roz, acordou com um berro, viu a mãe ali — mamãe, mamãe — e esticou os braços. Mary conseguiu erguer-se, manteve o equilíbrio apoiando-se nas costas das cadeiras e pegou Alice.

E então foi a vez de a outra menina acordar do sono que dormia no colo de Lil. "Cadê minha mãe?"

Mary estendeu a mão para Shirley e alguns momentos depois estavam ambas em seus joelhos.

As meninas sentiram o pânico de Mary, sua raiva, pressentiram algum tipo de fatalidade e tentaram voltar para as avós. "Vovó, vovó." "Eu quero minha avó."

Mary prendeu as duas bem apertado.

Na cara de Roz havia um sorrisinho amargo, como se estivesse confirmando alguma péssima notícia com alguém lá bem no fundo de si mesma.

"Vovó, você vai me pegar amanhã, para irmos à praia?"

E Alice: "Vovó, você prometeu que a gente iria à praia".

E foi então que Mary falou com a voz trêmula. Tudo que ela disse foi: "Não, não, vocês não vão à praia". E, direto para as mulheres mais velhas: "Vocês nunca mais vão levar Shirley e Alice à praia". Essa era a condenação e a sentença.

Lil ainda disse, hesitante, até mesmo com certa humilhação: "A gente se vê logo mais, Alice".

"Não, vocês nunca mais verão suas netas", disse Mary, erguendo-se, uma criança em cada mão, a pilha de cartas enfiada no bolso da calça. "Não", ela repetiu com um gesto selvagem, e a emoção que a envenenava finalmente esguichou para fora. "Não. Não, vocês nunca mais verão suas netas. Nunca mais."

E virou-se para ir embora, puxando as crianças pela mão.

O marido Tom ainda disse: "Espere um pouco, Mary".

"Não." E foi-se, descendo a ladeira, tão rápida quanto conseguia, tropeçando e puxando as crianças.

E agora as quatro pessoas restantes, as mulheres e seus filhos, deveriam dizer alguma coisa, elucidar, tornar as coisas mais claras, certo? Nem uma palavra. Espezinhados, diminuídos, obscurecidos, ficaram ali sentados até que um deles finalmente se pronunciou. Era Ian, que falou direto com Roz, numa intimidade nervosa, olhos arregalados, os lábios rígidos e irados.

"É tudo culpa sua", disse ele. "Sim, é tudo culpa sua. Eu já tinha dito a você. É culpa sua que isso tenha acontecido."

Roz retribuiu a ira dele com a sua. Riu. Uma risada dura, raivosa, amarga, casquinada. "Minha culpa", disse ela. "Mas é claro. De quem ia ser?" E riu de novo. Teria ficado bem no palco, aquela risada, mas as lágrimas lhe escorriam pelo rosto.

Fora da vista deles, mais abaixo na trilha, Mary alcançara Hannah, mulher de Ian, que não fora capaz de enfrentar os culpados, pelo menos não ao lado de Mary, cuja raiva era tão maior. Deixara que a outra subisse sozinha e ficara aguardando ali, cheia de dúvidas, de tristezas, e de censuras que estavam começando a borbulhar, querendo sair. Mas não era raiva, não, o que ela precisava era de explicações. Pegou Shirley das mãos de Mary e ficaram ambas paradas na trilha, bem ao lado de uma moita de plumbago que marcava os limites de um outro café. Não disseram nada, mas se entreolharam, Hannah pedindo confirmação, que logo veio. "É verdade, Hannah."

E então, a risada. Roz ria. As golfadas da risada dura, uma risada triunfante, foi só o que Mary e Hannah ouviram, uma e outra, um riso alto e cristalino que parecia açoitá-las, e as duas recuaram ao ouvir esse som cruel. Estremeceram quando as chicotadas de riso caíram.

"Pura maldade", declarou Mary por fim, com lábios que pareciam ter-se tornado massa ou argila. E, enquanto os guinchos finais da risada de Roz chegavam até elas, ambas caíram no choro e desceram correndo a trilha, para longe dos maridos e das mães dos maridos.

Duas meninas chegaram à escola no mesmo dia, na mesma hora, avaliaram uma a outra e tornaram-se amigas. Criaturas pequenas em confronto tão corajoso com aquela escola enorme, populosa, movimentada como um supermercado, toda ela repleta do que as duas sabiam ser hierarquias de meninas hostis, mas lá estava o aliado, e elas ficaram de mãos dadas, trêmulas de medo mas tentando mostrar coragem. Uma escola imensa, numa elevação de terreno, rodeada por um parque ao estilo inglês, mas arqueada por um céu que não podia estar mais longe de sê-lo, prestes a absorver essas menininhas, bebês, na verdade, pensavam os quatro pais — o bastante para trazer lágrimas aos olhos! —, e assim foi.

Elas eram resolutas, rápidas nas respostas, e não demorou para vencerem as intimidações com que as novatas eram recebidas; sabiam se defender, lutavam pelas próprias causas e pelas da outra também. "Como irmãs", diziam as pessoas, e até mesmo: "Como gêmeas". Bonitas elas eram, com seus rabos-de-cavalo brilhantes, as duas, ambas de olhos azuis, e rápidas como peixes, mas, no fundo, se você olhasse, não muito semelhantes. Liliane — ou Lil — era magra, com um corpinho duro, as feições delicadas, e Rozeanne — Roz —, mais encorpada; ao passo que Lil olhava o mundo com um olhar puro e severo, Roz fazia piada de tudo. Mas é bom pensar e dizer "como irmãs", "elas poderiam ser gêmeas"; é agradável encontrar semelhanças onde talvez não exista nenhuma, de modo que elas continuaram ao longo dos meses e dos anos, duas garotas inseparáveis, o que era muito bom para as famílias, que moravam na mesma rua e fizeram amizade por causa delas, como tantas vezes acontece, conscientes da sorte em ter duas filhas que escolheram uma a outra e tornaram a vida mais simples para todos.

E essas vidas eram de uma facilidade incrível. Pouca gente no fundo tem uma vida tão agradável, tão sem problemas, tão sem censuras: ninguém, nesse litoral abençoado, passava a noite acordado, chorando por seus pecados, ou por dinheiro, muito menos por comida. Que gente mais bem-apessoada, brilhante e suave de sol, de esportes, de boa comida. Poucas pessoas conhecem litorais assim, a não ser talvez por alguns dias de férias, ou por relatos de viajantes, qual sonhos. Sol e mar, mar e sol, e sempre o som das ondas quebrando na praia.

Era um mundo todo azul, esse em que as meninas cresceram. No final de toda rua havia o mar, tão azul quanto os olhos delas — como tantas vezes lhes disseram. Por cima de suas cabeças, era tão raro o céu tornar-se sinistro ou cinza que dias assim eram aprazíveis pela própria novidade. Ocasionalmente, um vento mais forte trazia a agradável ferroada do sal e o ar estava sempre salgado. Quando pequenas, costumavam lamber o sal tanto dos próprios braços e mãos como dos da outra, num jogo que chamavam de "brincar de cachorrinho". Os banhos antes de dormir eram sempre salgados, por isso precisavam enxaguar-se debaixo do chuveiro, com água que vinha lá do fundo da terra e tinha gosto de minerais, não de sal. Quando Roz dormia na casa de Lil, ou

Lil na casa de Roz, os pais paravam alguns momentos para olhar as duas, tão bonitas, abraçadas uma na outra, feito gatinhos ou cachorrinhos, cheirando, agora que dormiam, não a sal, e sim a sabonete. E sempre, por toda a infância delas, dia e noite, o som do mar, as suaves ondas domadas do mar de Baxter, aquietando e serenando, feito respiração.

Irmãs, ou, no caso em questão, gêmeas, até mesmo melhores amigas, passam por rivalidades intensas, quase sempre dissimuladas, mesmo uma da outra. Porém Roz sabia quanto Lil padecera quando seus seios — os de Roz — surgiram bem um ano antes dos de Lil, sem falar em outros sinais de crescimento, e foi generosa nas garantias e no conforto que deu, sabendo que sua própria e profunda inveja da amiga jamais seria curada pelo tempo. Roz bem que gostaria que seu corpo fosse tão rijo e magro quanto o de Lil, que usava roupas com tanto estilo e graça, ao passo que ela já estava sendo chamada — pelos mais indelicados — de gorducha. Tinha de tomar o maior cuidado com o que comia, ao passo que Lil podia comer de tudo.

De modo que lá estavam as duas, dali a um tempo, adolescentes, Lil, a atleta, excelente em todos os esportes, e Roz no teatro, com papéis importantes, fazendo as pessoas rirem, extrovertida, generosa, vital, ruidosa: complementavam-se tão bem quanto antes, na infância: "A gente mal consegue dizer quem é uma, quem é outra".

Ambas foram fazer faculdade, Lil por causa do esporte, Roz por causa do grupo de teatro, e lá continuaram boas amigas, dividindo as novidades a respeito de suas conquistas e fazendo pouco de suas rivalidades, mas com uma proximidade tamanha que, embora em arenas tão diferentes, seus nomes sempre apareciam ligados. Nenhuma das duas entrou no terreno das grandes paixões excludentes, dos corações partidos, do ciúme.

E então isso também acabou, a universidade, e adiante havia o mundo dos adultos, em que as moças casavam cedo. "Vinte anos e *ainda* não casou!"

Roz começou a sair com Harold Struthers, um acadêmico, e meio poeta, também; e Lil conheceu Theo Western, dono de uma loja de roupas e equipamentos esportivos. Ou, melhor dizendo, lojas. Estava muito bem de vida. Os homens deram-se bem — as mulheres providenciaram para que assim fosse, e houve um casamento duplo.

Até aí, tudo bem.

Aqueles pedaços de gente, aqueles peixinhos prateados, aqueles lambaris, eram agora jovens mulheres maravilhosas, uma trajando um vestido que era um copo-de-leite (Liliane), e Roz um vestido que era uma rosa prateada. Pelo menos foi essa a opinião da página de moda do jornal da cidade.

Foram morar numa rua que ia dar no mar, não muito longe do promontório onde ficava o Baxter's, uma região fora de moda mas com um quê de artística; e, segundo a lei que diz que, para conhecer a evolução de uma área, antes de mais nada é melhor dar uma espiada e ver se as primeiras andorinhas, os artistas, estão se transferindo para lá, aquela área não ficaria fora do mercado muito tempo. As casas eram uma em frente à outra.

Lil era uma campeã de natação conhecida no continente todo e fora também, e Roz não só interpretava e cantava como também estava montando peças e começando a produzir shows e espetáculos. Ambas eram muito ocupadas. Apesar disso tudo, Liliane e Theo Western anunciaram o nascimento de Ian, e, uma semana depois, Rozeanne e Harold Struthers anunciaram o nascimento de Thomas.

Dois meninos, loiros e agradáveis, todos diziam que podiam ser irmãos. Na verdade, Tom era um menino sério que se constrangia com muita facilidade com a exuberância da mãe, e Ian era magrinho, nervoso e "difícil" em coisas que Tom nunca fora. Ele não dormia bem e às vezes tinha pesadelos.

As duas famílias passavam junto os fins de semana e as férias, formando uma grande família feliz, como entoava Roz para definir a situação; os dois homens saíam para andar pelas montanhas, pescar ou acampar. Rapazes serão sempre rapazes, dizia Roz.

Isso tudo seguiu seu curso e qualquer coisa que não fosse o que deveria ser ficou bem longe da vista. "Se não está quebrado, não mande arrumar", Roz poderia ter dito. Preocupava-se com Lil, por razões que irão se manifestar, mas não consigo mesma. A amiga podia ter lá seus problemas, mas não Roz, não ela, Harold e Tom. Estava tudo andando às mil maravilhas.

E então aconteceu o seguinte.

A cena: o quarto matrimonial, mais ou menos quando os meninos tinham dez anos. Roz estava esparramada na cama, Harold sentado no braço de uma cadeira, olhando para a mulher, sorrindo, mas decidido. Tinha acabado de dizer a ela que haviam oferecido a ele uma cátedra numa universidade em outro estado.

Roz disse: "Bem, eu imagino que você possa vir passar os fins de semana conosco, ou nós podemos ir até lá".

Isso era tão dela, descartar uma ameaça — óbvia, no mínimo? — ao casamento deles, que Harold deu uma risada curta, afetuosa até, e, depois de uma pausa, completou: "Eu quero que você e Tom venham também".

"Mudar *daqui*?" E Roz sentou-se na cama, sacudindo o cabelo loiro e agora encaracolado para vê-lo com mais clareza. "*Mudar*?"

"Por que você não diz de uma vez? Você não quer deixar Lil, essa é a questão, não é?"

Roz cruzou as mãos na parte de cima do peito, toda consternação teatral. Mas estava genuinamente espantada, indignada.

"O que você está sugerindo?"

"Não estou sugerindo. Estou dizendo. Por mais estranho que possa parecer..." A frase seguinte em geral assinala discórdia. "Eu gostaria de ter uma mulher. De verdade."

"Você enlouqueceu."

"Não. Eu quero que você veja uma coisa." E mostrou-lhe um filme. "Por favor, Roz. Falo sério. Quero que você venha até a sala para ver isso."

E Roz então se levantou da cama, toda protestos bem-humorados.

Estava praticamente nua. Com um suspiro profundo, dirigido aos deuses, ou a algum espectador imparcial, pôs um *négligé* debruado de penas cor-de-rosa, que veio do guarda-roupa de alguma antiga peça — tinha achado que era a cara *dela*.

Sentou-se na sala ao lado, em frente a um quadrado de parede branca sem nenhum ornamento, e disse, com voz amável: "E agora o que você vai me apresentar?, é o que eu me pergunto. Seu grande tolo. *De fato*, eu me pergunto, o que você preparou para nós?"

Harold começou a passar o filme — um filme caseiro. Era dos quatro, os dois maridos, as duas esposas. Elas tinham estado na praia e usavam uma canga por cima dos biquínis. Os homens ainda estavam só de calção. Roz e Lil sentaram-se no sofá, esse sofá onde Roz agora se senta, e os homens acomodaram-se em cadeiras de encosto reto para observar. As mulheres falavam. Do quê? Importava? Olhavam uma para a outra, à espera de uma brecha para se pronunciar. Os homens tentavam intervir, unir-se a elas, e elas simplesmente não escutavam. Harold, depois Theo, ficaram irritados, ergueram a voz, mas ainda assim as mulheres não ouviram, e quando eles gritaram, insistindo, Roz fez um gesto com a mão, para que fizessem silêncio.

Roz lembrava-se da discussão, mais ou menos. Não era importante. Os meninos iriam viajar com um amigo, acampar. Os pais estavam discutindo a ida, mais nada. Na verdade, as mães é que estavam discutindo a questão, os pais poderiam nem estar ali.

Os homens, silenciados, observavam e de vez em

quando trocavam um olhar. Harold estava irritado, mas o comportamento de Theo dizia apenas: "*Mulheres, esperar o quê delas?*".

E depois, resolvido o assunto — os meninos —, Roz disse: "Eu preciso lhe dizer uma coisa...", e debruçou-se para Lil, falando em voz bem mais baixa, sem saber que o fazia, para lhe contar algo, nada de importante.

Os maridos, sentados, acompanharam tudo, Harold todo ironia alerta, Theo entediado.

E assim o filme continuou. Até a fita acabar.

"Está querendo dizer que você na verdade filmou isso — para me pegar no pulo? Você fez isso para me encurralar!"

"Não, você não está lembrada? Eu tinha feito um filme dos meninos na praia. Aí você pegou a câmera e filmou a mim e ao Theo. E então Theo disse: 'E que tal agora as meninas?'".

"Ah", disse Roz.

"Pois é. Foi só quando assisti, mais tarde — ontem, na verdade, é que eu vi... Não que isso tenha me surpreendido. É assim sempre. É sempre você e Lil. Sempre."

"O que você está sugerindo? Será que está querendo dizer que nós duas somos lésbicas?"

"Não. Não estou. E que diferença faria, se fossem?"

"Não estou entendendo nada."

"É óbvio que sexo não importa tanto assim. Nós dois fazemos, acho eu, um sexo mais que adequado, mas não é comigo que você tem uma relação."

Roz, sentada, toda torcida de emoções, agitava as mãos, as lágrimas prontas para sair.

"De modo que gostaria que você e o Tom fossem comigo para o norte."

"Você deve ter enlouquecido."

"Ah, eu sei que você não vai comigo, mas eu esperava que ao menos fingisse que fosse pensar a respeito."

"Está sugerindo o divórcio?"

"Na verdade, não. Se eu encontrasse uma mulher que me pusesse na frente de tudo, então..."

"Você me avisa!", disse ela, finalmente em lágrimas.

"Ah, Roz", disse o marido, "não pense que eu não sinto, e muito. Eu gosto tanto de você, e você sabe. Vou sentir uma falta enorme. Você é companheira. Nunca mais vou encontrar alguém tão boa de cama, e eu sei disso. Mas me sinto como uma sombra aqui. Eu não importo. É só isso."

E então foi a vez dele de piscar fora as lágrimas e, depois, levar as mãos até os olhos. Voltou para o quarto, deitou-se na cama e Roz foi ter com ele. Confortaram-se um ao outro. "Você é louco, Harold, será que não percebe isso? Eu amo você." "E eu amo você também, Roz, não pense que não."

Depois Roz pediu que Lil visse o filme também e as duas assistiram a tudo sem falar nada.

"E é por isso que Harold vai me deixar", disse Roz, que já havia contado a situação por alto para Lil.

"Mas não deu para entender nada", disse Lil por fim, franzindo a testa com o esforço de tentar. Ela estava muito séria, assim como Roz, se bem que Roz também sorrisse de raiva.

"Harold diz que minha relação é com você, não com ele."

"Mas então o que é que ele quer?"

"Ele diz que você e eu o excluímos de tudo."

"*Ele* se sente excluído! Eu sempre me senti — de lado. Todos esses anos vendo vocês dois e desejando..." A lealdade havia lhe trancado a língua até esse momento, mas ela acabou confessando: "Meu casamento é uma droga. Não me dou bem com o Theo. Eu nunca... mas você sabia. E você e o Harold, sempre tão felizes... Sei lá quantas vezes não fui embora para casa com o Theo, depois de ter deixado você e o Harold, desejando que..."

"Eu não sabia... Quer dizer, eu sabia, claro, que Theo não é o marido ideal."

"Claro que não é."

"A mim me parece que é você que devia estar providenciando o divórcio."

"Ah, não, não", disse Lil, afastando a idéia com uma mão agitada. "Não; uma vez eu disse isso meio brincando para o Ian — só para testar, ver como ele se sentiria, se eu me divorciasse, e ele quase enlouqueceu. Ficou um tempo enorme sem dizer nada — você sabe como ele às vezes fica calado, depois começou a berrar e a chorar. 'Você não pode', ele dizia. 'Você não pode. Eu não vou deixar.'"

"O coitado do Tom vai ficar sem um pai", disse Roz.

"E o Ian não tem muito do que se vangloriar", disse Lil. E então, quando parecia que a conversa estava acabando, ela perguntou: "Roz, por acaso Harold disse que nós éramos lésbicas?".

"Quase — bom, na verdade não, não exatamente."

"E foi isso que ele quis dizer?"

"Eu não sei. Acho que não." Roz sofria nesse momento com o esforço exigido pela introspecção inusitada e infreqüente. "Eu não entendo, eu disse a ele isso. Eu não entendo do que você está falando."

"Bom, nós não somos, não é?", perguntou Lil, pelo visto precisando de uma confirmação.

"Bem, acho que não", disse Roz.

"Mas nós sempre fomos amigas."

"Verdade."

"Quando foi que começamos? Eu me lembro do primeiro dia na escola."

"Pois é."

"Mas antes disso? Como foi que aconteceu?"

"Não me lembro. Talvez tenha sido apenas — sorte."

"Quanto a isso não resta dúvida. A maior sorte de toda a minha vida — você."

"Pois é", disse Roz. "Mas isso não nos torna... Malditos homens", disse, de repente vigorosa de novo, peremptória, raivosa.

"Malditos homens", repetiu Lil, emocionalmente afetada por causa do marido.

Depois de discutido esse quesito, obrigatório para a época, não se tocou mais no assunto.

Lá se foi Harold para a universidade, rodeada não por oceanos e ventos marítimos, não por canções e lendas do mar, e sim por areia, mato ralo e espinhos. Roz foi visitá-lo, e depois retornou para montar *Oklahoma!* — um enorme sucesso —, e eles aproveitaram para fazer o seu mais que adequado sexo. Ela comentou: "Não sei do que tanto você se queixa". E ele disse: "Bem, claro que não, não é?". Quando ele chegou para visitá-la e aos meninos — que, estando sempre juntos, eram sempre chamados no plural —, nada parecia ter mudado. Como família, eles circulavam, o simpático Harold e a exuberante Roz, um jovem casal muito popular — talvez não tão jovem —, conforme as notícias nas colunas de fofocas. Para uma união que recebera bilhete azul, os dois continuavam parecendo um casal. Como eles mesmos brincavam — nunca faltaram piadas entre os dois —, eram ambos como árvores cujo centro já apodreceu, ou como arbustos que se espalham de dentro para fora e somem quando o entorno brota. Muito difícil, para esse casal, entrar em conflito. A toda parte que iam, os velhos alunos dele cumprimentavam-no, e gente envolvida com alguma produção dela vinha dar-lhe um alô. Eles eram Harold e Roz para centenas de pessoas. "Vocês se lembram de mim — Roz, Harold?" Ela não se esquecia de ninguém e Harold conhecia os antigos alunos. Como a realeza, de quem se espera a capacidade de lembrar rostos e nomes. "Os Struthers estão se separando? Ora, pare com essa história! Eu não acredito."

E agora o outro casal, também na ribalta, Lil sempre no júri de competições de nado, de corrida, ou de outros eventos esportivos, concedendo prêmios, fazendo discursos. E lá estava também o marido bem-apanhado, Theo, conhecido pela cadeia de lojas de roupas e equipamentos esportivos. Ambos magros, ambos com excelente aparência, tão expostos como seus amigos, o outro casal, mas tão diferentes em estilo. Nada do excesso ou da exuberância deles, apenas um casal afável, sorridente, disponível, a própria essência da cidadania.

O rompimento de Roz e Harold não afetou Theo e Lil. O casamento era só fachada havia anos. A vida de Theo era uma sucessão de garotas; como ele mesmo se queixava, não conseguia entrar numa cama sem encontrar uma garota nela — e ele viajava um bocado, pela firma.

Um dia Theo morreu num acidente de carro e Lil virou uma viúva rica, com seu filho Ian, tão sujeito a melancolia, tão diferente de Tom, e, então, naquela cidade litorânea, onde o clima e o estilo de vida punham as pessoas à vista de todos, havia duas mulheres, sem homens, e seus dois filhinhos.

Os jovens casais e seus filhos — curioso isso, o momento decisivo, o momento da mudança. Durante um tempo, vistos, comentados, um foco de atenção, os jovens pais, por definição seres sexuais, e, grudados neles, ou correndo em volta deles, os filhos bonitos. "Ah, mas que menino mais bonito, que menina mais linda. Como ela se chama? — mas que nome bonito!" — e, de repente, ou assim parece, os pais, já não tão jovens, perdem um pouco de altura, chegam mesmo a encolher, sem dúvida lhes falta um pouco de cor e de brilho. "Quantos anos você disse que ele tem, que ela tem?..." Os jovens crescem e os encantos mudam de endereço. Os olhos agora vão atrás dos filhos, não mais dos pais. "Eles crescem tão rápido, hoje em dia, não crescem?"

As duas belas mulheres, juntas de novo como se os homens nunca tivessem participado da equação, continuaram vivendo com seus dois belos garotos, um deles um tanto delicado e poético, com cachos queimados de sol caídos na testa, o outro forte e atlético, amigos, como as mães tinham sido na idade deles. Havia um pai em cena, Harold, vivendo no norte, mas que morava com uma mulher mais jovem e presumivelmente sem as deficiências de Roz. Ele aparecia para visitar, e ficava na casa de Roz, mas não dormia no mesmo quarto (algo que devia parecer a ambos um absurdo), e Tom o visitava na universidade. Mas a realidade eram duas mulheres de trinta e tantos anos e dois garotos que não estavam muito longe de se tornar homens. As casas, tão próximas, uma em frente à outra, pareciam pertencer a eles todos. "Nós somos uma grande família", exclamava Roz, que nunca deixava situação nenhuma indefinida.

A beleza de jovens rapazes — ora, isso não é coisa assim tão fácil. As meninas, sim, cheias de óvulos tentadores, as mães de todos nós, isso faz sentido, elas têm de ser belas e em geral o são, mesmo que só por um ano, ou um dia. Mas os meninos — por quê? Para quê? Há um momento, um momento breve, por volta dos dezesseis, dezessete anos, em que eles têm uma aura poética. São como jovens deuses. Família e amigos às vezes se espantam com esses seres que parecem ter vindo de uma atmosfera mais refinada. Em geral eles próprios não se dão conta disso e vêem-se mais como pacotes mal embrulhados que tentam manter fechados.

Roz e Lil balançavam-se na pequena varanda que dava para o mar quando viram os dois subindo a trilha, de testa semicerrada, carregando coisas molhadas que iriam pôr para secar na mureta, e eram os dois tão lindos que as duas endireitaram o corpo na cadeira para olhar uma para a outra, dividindo a incredulidade. "Meu Deus!", disse Roz. "Sim", disse Lil. "*Nós* fizemos esses dois, *nós* os fizemos", disse Roz. "Se não fomos nós, então quem foi?", disse Lil. E os rapazes, tendo tirado as toalhas e os calções, passaram por elas com sorrisos que indicavam que estavam ocupados com assuntos próprios: não queriam ser chamados para comer, ou para arrumar a cama ou algo igualmente desimportante.

"Meu Deus!", disse Roz de novo. "Espere um pouco, Lil..." Levantando-se, Roz entrou em casa e Lil esperou, sorrindo de leve, como muitas vezes fazia, por causa do jeito dramático da amiga. E lá veio ela de novo, com um livro nas mãos, um álbum de fotografias. Empurrou a cadeira mais para perto de Lil e, juntas, viraram as páginas, passando por fotografias de bebês em tapetes, bebês em banheiras — elas próprias, depois "o primeiro passinho" e "o primeiro dente" —, até chegarem à página onde ambas sabiam querer chegar. Duas meninas, de uns dezesseis anos.

"Meu Deus!", disse Roz.

"Até que não éramos de se jogar fora, na época", disse Lil.

Meninas bonitas, sim, muito, um pedaço de mau caminho, as duas, mas, se fotos fossem tiradas agora de Ian e Tom, será que mostrariam o encanto que nos faz perder o fôlego quando os vemos atravessar uma sala ou surgir das ondas?

Demoraram-se em cima das páginas de si mesmas nesse álbum, o de Roz; o de Lil teria de ser igual. Fotografias de Roz, com Lil. Duas belas meninas.

Aquilo que buscavam, não encontraram. Em lugar nenhum conseguiram descobrir o brilho sublime que agora iluminava os filhos.

E lá estavam elas, sentadas, o álbum esparramado sobre as pernas morenas — elas estavam de biquíni —, quando os rapazes apareceram, copos de suco de fruta nas mãos.

Sentados na mureta da varanda, contemplaram as mães, Roz e Lil.

"O que elas estão fazendo?", perguntou Ian, com voz séria, para Tom.

"O que elas estão fazendo?", repetiu Tom, em voz solene, brincando como sempre. Saltando da mureta, espiou o livro, com metade aberta sobre os joelhos de Roz, e metade sobre os joelhos de Lil, e voltou ao seu lugar. "Estão admirando a beleza que tinham quando eram ninfetas", informou a Ian. "Não é isso, mãe?", disse ele a Roz.

"Justamente", disse Roz. "*Tempus fugit*. E *fugit* como ninguém. Você não faz idéia — ainda. Nós queríamos descobrir como éramos há muitos anos."

"Não tantos assim", disse Lil.

"Não se incomode em contar", disse Roz. "Anos suficientes."

Momento em que Ian pegou o álbum de cima das coxas das duas, e ele e Tom puseram-se a olhar as meninas, suas mães.

"Elas até que não eram de se jogar fora", disse Tom para Ian.

"Nem um pouco de se jogar fora", disse Ian a Tom.

As mulheres sorriram uma para a outra — foi mais uma careta.

"Mas você está melhor agora", disse Ian, ficando vermelho.

"Ah, mas que encanto", disse Roz, aceitando o elogio.

"Não sei, não", disse seu filho brincalhão, fingindo estabelecer uma comparação entre as velhas fotografias e as duas mulheres sentadas ali, de biquíni. "Não sei, não. Agora?", e Tom franziu os olhos para o exame. "Ou antes?" Curvou a cabeça para olhar bem de perto as fotos.

"O agora ganha", declarou. "Sim, melhor agora." E, com isso, os dois garotos caíram no chão, numa luta envolvendo ombros e pés, ou numa espécie de empurra-empurra, como ainda faziam às vezes, como garotos que eram, se bem que outros vissem neles jovens deuses incapazes de dar um passo ou fazer um gesto que não estivesse estampado em alguma ânfora arcaica ou numa dança antiga.

"A nossas mães", disse Tom, brindando às duas com suco de laranja.

"A nossas mães", disse Ian, sorrindo diretamente para Roz de um jeito que a fez mexer-se na cadeira e recolher as pernas.

Roz tinha dito a Lil que Ian tinha uma queda por ela, Roz, e Lil dissera: "Bem, não se preocupe, ele supera isso".

O que Ian não conseguia superar, nem começara a superar, era a morte do pai, ocorrida já fazia uns dois anos. Do momento em que cessou de ter um pai, definhou, tornando-se ainda mais magro, quase transparente, de modo que a mãe reclamava: "Coma alguma coisa, Ian, coma alguma coisa — você precisa".

"Ah, me deixe em paz."

Para Tom, cujo pai aparecia de vez em quando e a quem ele visitava lá no norte, na universidade cercada de terra, as coisas andavam bem. Ian porém não tinha nada, nem mesmo memórias carinhosas. Onde deveria haver um pai, por mais inadequados que tivessem sido seus casos e ausências freqüentes, não havia nada, era um vazio, e Ian tentava enfrentar o fato, tinha pesadelos; as duas magoavam-se com isso.

Um meninão, olhos congestionados de tanto chorar, ele ia até a mãe, sentada num sofá, arriava o corpo e ela o pegava nos braços. Ou então ia até Roz e ela o abraçava: "Pobre Ian".

E Tom, observador, sério, tentava entrar num acordo com essa dor, não sua, mas de presença tão próxima no amigo, seu quase irmão, Ian. "Eles são como irmãos", as pessoas diziam. "Esses dois, eles podiam bem ser irmãos." Só que em um a calamidade ia roendo por dentro, como um câncer, e o outro, que tentava imaginar a dor da mágoa, não conseguia.

Uma noite, Roz levantou-se para pegar uma bebida na geladeira. Ian estava lá, dormindo com Tom, como tantas outras vezes. Ele usava a segunda cama no quarto de Tom, ou então dormia no quarto de Harold, onde estava nesse momento. Roz ouviu-o chorar e, sem hesitar, entrou, pôs os braços em volta dele e aninhou-o no colo, como se fosse um garotinho, como afinal de contas fizera durante toda a vida dele. Ian adormeceu nos braços dela e, de manhã, encarou-a com um olhar exigente, faminto, dolorido. Roz permaneceu silenciosa, contemplando os acontecimentos da noite. Ela não contou a Lil o que tinha acontecido. Mas o que acontecera? Nada que não tivesse ocorrido cem vezes antes. Mas fora estranho. "Ela não queria preocupar a amiga!" Será? Por acaso ela já se sentira inibida de contar algo a Lil?

Aconteceu que Tom passou algumas noites com Ian, na casa de Lil, do outro lado da rua. Roz, sozinha, ligou para Harold, e eles tiveram uma conversa quase matrimonial.

"E o Tom, como vai?"

"Ah, ele está bem. Tom está sempre bem. Mas Ian não vai nada bem. Ele está tendo muita dificuldade em aceitar a morte de Theo."

"Pobre rapaz, ele acaba superando isso."

"Mas está levando tempo demais para superar. Escute, Harold, da próxima vez que você vier, talvez pudesse dar uma palavrinha com o Ian, só vocês dois."

"E o que Tom vai dizer?"
"Ele vai entender. Ele está preocupado com Ian."
"Certo. Eu farei isso. Pode contar comigo."

Harold apareceu e levou Ian para uma longa caminhada pela orla marítima; e Ian conversou com Harold, a quem conhecia desde que nascera, quase como se fosse um segundo pai.

"Ele está muito infeliz", informou Harold a Roz e a Lil.

"Eu sei que está", disse Lil.

"Ele acha que não serve para nada. Acha que fracassou."

Os adultos encararam o fato como se fosse algo que pudessem enxergar.

"Mas como é que alguém pode fracassar aos dezessete anos?", disse Lil.

"Será que nós nos sentíamos assim?", disse Roz.

"Eu me sentia", disse Harold. "Não se preocupem." E lá se foi ele de volta para sua universidade no deserto. Estava pensando em casar de novo.

"Certo", disse Roz. "Se você quer o divórcio."

"Bem, eu suponho que ela vai querer ter filhos", disse Harold.

"Você não sabe?"

"Ela tem vinte e cinco anos. Será que preciso perguntar isso?"

"Ah", disse Roz, enxergando mais longe. "Você não quer plantar idéias na cabeça dela?" E riu dele.

"Acho que sim."

E então Ian estava de novo passando a noite com Tom. Melhor dizendo, estava lá na hora de dormir. Foi para o quarto de Harold, dando uma olhada rápida para Roz; Roz torceu para que Tom não tivesse notado.

Ao acordar à noite, pronta para ir até a geladeira pegar uma bebida, ou apenas vagar pela casa às escuras, como costumava fazer, não se mexeu, receosa de ouvir Ian chorando, receosa de não conseguir conter-se e ir até ele. Mas acabou descobrindo que ele havia entrado no escuro em seu quarto e estava ao lado dela, agarrado a ela como a uma bóia numa tempestade. No fim, Roz imaginou aquelas sete rochas negras como se fossem dentes podres na noite escura, ondas arrebentando e estourando ao redor em brancas cascatas de espuma.

Na manhã seguinte, ela estava sentada à mesa da sala que abria para a varanda, para o ar marinho, para o burburinho, o silêncio e a paz do mar. Tom levantou renovado da cama, cheirando a sono juvenil. "Cadê o Ian?", perguntou ele. Em geral, não teria perguntado nada — ambos podiam dormir até o meio-dia.

Roz mexeu o café, várias vezes, e disse, sem olhar para o filho: "Está na minha cama".

Isso normalmente não teria sido motivo de maiores atenções, já que os modos sem cerimônia dessa grande família podiam acomodar mães e filhos, ou as duas, ou qualquer um dos meninos com qualquer uma das mulheres deitados para uma soneca ou uma conversa, ou os dois garotos e, quando estava por lá, Harold com qualquer um deles.

Tom fitou a mãe por cima do prato ainda vazio.

Roz aceitou o olhar, e devolveu um que poderia muito bem ter sido um aceno.

"Jesus!", disse Tom.

"Exatamente", disse Roz.

Em seguida, Tom ignorou o prato e o possível suco de laranja, saltou da cadeira, pegou o calção da mureta da varanda e correu para o mar. Num outro momento, teria gritado para Ian acompanhá-lo.

Tom não ficou em casa, nesse dia. Não havia aula na escola, mas pelo visto resolvera participar de alguma atividade extracurricular, coisa que em geral desprezava.

Lil estava fora, julgando alguma competição esportiva, e só voltou à noite. Ao chegar à casa de Roz, ela disse: "Estou um trapo. Você tem algo para comer?".

Ian estava à mesa, sentado na frente de Roz, mas sem olhar para ela. Tom estava diante de um prato de comida. E começou a falar com Lil como se não houvesse mais ninguém presente. Lil mal notou isso, tão cansada estava, mas os outros dois repararam. Tom manteve a mesma atitude até a refeição acabar e Lil dizer que precisava ir para a cama, exausta, momento em que simplesmente se levantou e foi com ela, no escuro.

Na manhã seguinte, meio tarde para todos eles, Tom atravessou a rua, entrou em casa e encontrou Roz à mesa, em sua pose de sempre, descuidada, confortável, o roupão solto em torno dela. Não olhou para a mãe, e sim em volta dela, para a sala, para o teto, num delírio de consumação feliz. Roz não precisou adivinhar o porquê de sua condição; sabia, porque um estado de espírito semelhante por parte de Ian a envolvera a noite toda.

Tom girava pela sala, esmurrando um braço de poltrona, a mesa, uma parede, voltava para dar um novo soco na poltrona mais próxima da mãe, feito um colegial incapaz de conter sua exuberância, parava para olhar em frente, de cenho franzido, pensando — como um adulto. Depois rodopiava e voltava a ficar perto dela, todo colegial outra vez, um riso absorto, um olharzinho de esguelha. Em seguida, trepidação — ele não estava seguro de si, nem de Roz, que corou muito, depois empalideceu, enfim se levantou e, deliberadamente, esbofeteou-o com força, de um lado e do outro do rosto.

"Não se atreva", sussurrou ela, tremendo de raiva. "Como é que você se atreve..."

Meio agachado, protegendo a cabeça com as mãos, Tom ergueu os olhos para ela, o rosto distorcido no que poderia muito bem ser um choro infantil, antes de assumir o controle de si, levantar-se e dizer, de forma direta: "Me desculpe", se bem que nem ele nem ela soubessem dizer com precisão pelo que se desculpara, ou o que não deveria atrever-se a fazer. Não deixar que as palavras ou a fisionomia expressassem o que aprendera das mulheres na noite que acabara de passar com Lil?

Ele sentou, cobriu o rosto com as mãos, depois levantou de um salto, pegou o calção e saiu correndo para o mar, que, nessa manhã, era uma lâmina rasa, debruada pelas casas coloridas que rodeavam a baía oposta.

Tom não voltou para a casa da mãe aquele dia e fez outro caminho para ir à casa de Lil. Ian dormiu até tarde — até aí nada de novo. Também ele estava achando difícil olhar para ela, mas Roz sabia que era por vê-la, tão tremendamente familiar, tão tremenda e desconhecidamente reveladora, isso era coisa demais, de modo que apanhara o calção e saíra. Só voltou depois do escurecer. Ela tinha feito pequenas tarefas, dado telefonemas de rotina, cozinhado, parado às vezes para examinar a casa em frente, que não mostrava sinais de vida, e então, quando ele chegou, ela fez jantar para ambos e voltaram para a cama, trancando a porta da frente e de trás — algo que nem sempre era lembrado.

Passou-se uma semana. Roz estava sozinha, à mesa, com uma xícara de chá, quando ouviu a batida na porta. Não podia ignorá-la, sabia disso, embora preferisse ter ficado dentro do sonho, ou do encantamento, que tão de repente a consumia. Tinha vestido uma calça jeans e uma camisa, de modo que estava ao menos respeitável para abrir a porta. E abriu-a para encarar a amigável e curiosa cara de Saul Butler, que vivia na mesma rua, algumas casas adiante da casa de Lil, e que era o bom vizinho delas. Estava ali porque gostava de Lil e queria que ela casasse com ele.

Sentou-se, aceitou uma xícara de chá, e Roz esperou.

"Nesses últimos tempos mal tenho visto vocês na rua, e na casa de Lil ninguém responde."

"Bem, os meninos estão de férias."

Mas em geral ela e os meninos, Lil e os meninos,

teriam passado o tempo indo e vindo, e quase sempre as pessoas acenariam para eles da rua, enquanto estivessem sentados à mesa.

"Aquele rapaz, o Ian, está precisando de um pai", acusou ele.

"De fato." Ela concordou na hora — havia aprendido, na semana anterior, o quanto ele precisava de um pai.

"Tenho certeza absoluta de que eu poderia ser um pai para ele — tanto quanto ele me deixasse sê-lo."

Saul Butler era um homem robusto de uns cinqüenta anos, que não aparentava essa idade. Possuía uma cadeia de lojas de equipamentos artísticos, tintas, telas, molduras, esse tipo de coisa, e conhecia Lil por ter trabalhado com ela nas associações de comércio da cidade. Roz e Lil haviam concordado que ele daria um marido ideal, se alguma das duas estivesse procurando por um.

Como já tinha dito antes, Roz repetiu: "Será que você não deveria dizer isso a Lil?".

"Mas eu digo. Ela já deve estar enjoada de mim — e da minha pretensão."

"E você quer que eu apóie — essa sua pretensão?"

"Mais ou menos isso. Acho que sou um bom partido", disse ele, sorrindo, zombando do próprio elogio.

"Também acho que você seria um ótimo partido",

disse Roz, rindo, aproveitando o flerte, se é que era isso. Uma semana fazendo amor e já não estava mais distinguindo uma brincadeira de uma ida para a cama. "Mas isso não resolve nada, não é, é Lil que você quer."

"Sim. Estou de olho nela já faz... um bom tempo." O que significava antes que sua mulher o tivesse deixado por outro homem. "Isso mesmo. Mas ela só ri de mim. Por que será?, é o que me pergunto. Sou um cara muito sério. E onde estão os garotos hoje?"

"Nadando, imagino."

"Eu só passei para ter certeza de que todos vocês estão bem." Ele se levantou, terminou o chá em pé e disse: "Vejo vocês na praia".

Lá se foi ele, e Roz ligou para Lil, dizendo: "Temos que aparecer um pouco mais. Saul acabou de passar por aqui".

"Acho que sim", disse Lil, com voz pesada, baixa.

"Temos que ser vistos na praia, nós quatro."

Uma manhã quente. O mar cintilava de luz. O céu estava repleto com uma luminosidade que punia olhos que não tivessem óculos escuros para defendê-los. Lil e Roz, em cangas largas sobre o biquíni, cobertas de creme, trilharam o caminho até a praia, atrás dos rapazes. Era uma praia bem movimentada, mas a essa hora, num dia de semana, havia pouca gente por ali. Em duas cadeiras postas bem junto à cerca de Roz, desbotadas e maltratadas por tempestades e sol, mas ainda usáveis, elas acomodaram-se. Os rapazes tinham saído correndo para o mar. Tom mal cumprimentara a mãe; o olhar que Ian lançou para Lil passara ao largo.

As ondas estavam agitadas o suficiente para causar prazer, mas ali, na baía, nunca eram grandes o suficiente para surfar; isso acontecia mais para fora, depois dos Dentes. Durante toda a infância, os meninos se divertiram em segurança nessa praia, mas depois passaram a vê-la como uma lugar bom apenas para nadar, ao passo que, para as coisas mais perigosas e sérias, era preciso ir para as praias dos surfistas. Os dois nadavam bem separados, ignorando um ao outro; os olhos das mulheres estavam atrás de óculos escuros, dissimulados, e nenhuma delas queria falar — não poderia.

Elas perceberam uma cabeça que parecia uma foca bem longe, crescendo, depois viram Saul, e ele saiu do mar, acenando para elas, mas sem parar; atravessou o mato salgado da beira da praia e foi para a rua.

Os rapazes estavam nadando de volta. Quando chegaram à parte rasa, puseram-se de pé e olharam um para o outro. Começaram a brigar. Assim tinham brigado quando crianças e adolescentes, como qualquer garoto, mas logo ficou evidente que não havia nada de infantil nessa luta. Estavam com água pela cintura, as ondas chegavam, cobriam os dois de espuma, passavam, e, de repente, Ian sumiu; Tom segurava-o dentro da água. Veio uma onda, outra, e Lil, olhando angustiada, disse: "Ai meu Deus, ele vai matar o Ian. Tom vai matar...".

Ian reapareceu, ofegante, agarrando os ombros de Tom. E foi de novo para o fundo.

"Fique quieta, Lil", disse Roz. "Não podemos interferir."

"Ele vai matar... Tom quer matar..."

Ian tinha ficado no fundo um bom tempo, bem um minuto, mais até...

Tom soltou um grito enorme e largou Ian, que voltou à superfície mal conseguindo parar em pé; acabou caindo, levantou-se de novo e acompanhou a travessia de Tom pelas ondas, até a praia. Quando Tom pisou na areia, havia sangue escorrendo da canela. Ian mordera sua perna, enquanto levava o caldo, e era uma mordida séria. Ian continuou parado, balançando para um lado e outro, ofegante, engasgado.

Roz lutou consigo, depois correu para o mar para pegá-lo. Ian estava pálido, vomitando água do mar, mas afastou Roz e foi sentar sozinho na areia, a cabeça entre os joelhos. Roz voltou ao seu lugar. "Culpa nossa", sussurrou Lil.

"Pare com isso, Lil. Não vai ajudar em nada."

Tom estava parado numa perna só, para examinar a canela, de onde saía sangue abundante. Ele voltou até o mar, parou e jogou água sobre a mordida. Saiu de novo, pegou a toalha, rasgou-a ao meio e amarrou uma metade bem apertada em volta da perna. Depois se levantou, hesitando. Ele poderia ter ido para casa e, de lá, para a de Lil. Poderia ter ficado em casa para tomar o lugar de Ian. Poderia ter caído no chão ali mesmo onde estava, perto da cerca, não muito distante das duas. Em vez disso, virou-se e olhou fixo, pelo visto com curiosidade, para Ian. Depois saiu mancando, foi até ele e se sentou ao seu lado. Ninguém disse nada.

As mulheres olharam para esses dois jovens heróis, seus filhos, seus amantes, esses belos jovens, os corpos reluzindo com a água do mar e o óleo de bronzear, qual lutadores de outros tempos.

"O que nós vamos fazer, Roz?", sussurrou Lil.

"Eu sei o que eu vou fazer", disse Roz, levantando-se. "Almoço", disse ela, exatamente como vinha fazendo havia anos, e os rapazes, obedientes, levantaram-se e seguiram as mulheres até a casa de Roz.

"Acho melhor você fazer um curativo", disse Roz ao filho. Foi Ian quem buscou a caixinha de primeiros socorros, pôs desinfetante na mordida e depois fez o curativo.

Sobre a mesa havia a variedade usual de salsichas, queijos, presunto e pão, uma enorme bandeja de frutas, e os quatro sentaram-se e comeram. Nenhuma palavra. Depois Roz falou com calma, com ponderação. "Todos nós temos que nos comportar normalmente. Lembrem-se — tudo tem que continuar como de hábito, como sempre foi."

Os rapazes trocaram um olhar, pelo visto para obter informações. Olharam para Lil. Olharam para Roz. Franziram a testa. Lil sorria, mas não muito. Roz cortou uma maçã em quatro, empurrou um quarto para os outros e mordeu com gosto o seu pedaço.

"*Muito* engraçado", disse Ian.

"Eu acho que é", disse Roz.

Ian levantou-se, segurando um enorme sanduíche recheado de salada, o pedaço de maçã na outra mão, e foi para o quarto de Roz.

"*Bem*", disse Lil, rindo com um quê de amargura.

"Exatamente", disse Roz.

Tom levantou-se, saiu, atravessou a rua e foi para a casa de Lil.

"O que nós vamos fazer?", perguntou Lil à amiga, como se esperasse uma resposta ali na hora.

"Acho que já estamos fazendo", disse Roz. E foi atrás de Ian para o quarto.

.

Lil pegou a caixinha de primeiros socorros e foi para casa. No caminho, acenou para Saul Butler, que estava na varanda.

A escola recomeçou — era o último ano dos garotos. Ambos eram admirados, ambos eram monitores. Lil ia com muita freqüência a outras cidades e lugares, julgava, dava prêmios, fazia discursos, uma figura bem conhecida, essa mulher esbelta, alta, tímida, em suas roupas impecáveis de linho, seu cabelo loiro tão bem arrumado e brilhante. Era famosa por seu sorriso bondoso, sua simpatia, seu entusiasmo. Meninas e meninos caíam por ela e escreviam cartas que em geral incluíam algo como: "Eu sei que você me entende". Roz supervisionava produções de musicais em duas escolas e trabalhava numa peça, uma farsa, sobre sexo, uma mulher atraente e ruidosa que insistia que sua mordida era muito pior que o latido: "De modo que se cuidem; não me deixem nervosa!". Os quatro continuaram entrando e saindo de casa, juntos ou separados, nada parecia ter mudado, faziam as refeições com as janelas abertas para a rua, nadavam, e às vezes elas ficavam sozinhas na praia porque os rapazes tinham ido surfar, deixando-as para trás.

Ambos haviam mudado, Ian mais que Tom. Inseguro, tímido e desajeitado, tudo isso ele fora, mas agora estava confiante, adulto. Roz, que se lembrava do garoto angustiado que tinha aparecido em sua cama, sentia-se calmamente orgulhosa, mas é claro que não poderia dizer nada a ninguém, nem mesmo a Lil. Ela o tinha transformado num homem, sem dúvida. Olhe para ele... nunca mais se agarrara nelas, nem procurara consolo, aos prantos, por causa da solidão e do pai morto. Sem dizer nada, comportava-se como se fosse dono dela — Roz achava divertido, e adorava. Tom, que nunca sofrera de timidez ou de falta de confiança, tornara-se um jovem forte, atencioso, que protegia Lil de um jeito que Roz nunca vira. Eles não eram mais garotos e sim jovens, e bonitos, de modo que as moças andavam atrás deles, e tanto a casa de Lil quanto a de Roz eram, elas brincavam — como fortalezas contra moças delirantes e desejosas. Mas dentro dessas casas, abertas ao sol, às brisas do mar, aos sons marítimos, havia quartos aonde ninguém mais ia a não ser Ian e Roz, Tom e Lil.

Lil disse a Roz que se sentia tão feliz que isso a deixava com medo. "Como é que algo pode ser assim tão maravilhoso?", cochichou ela, com medo de ser ouvida — por quem? Não havia ninguém por perto. O que ela queria dizer, e Roz sabia, é que uma felicidade assim tão intensa tinha que ter seu castigo. Roz ficou mais ruidosa e brincalhona e disse que esse era um amor que não ousava dizer seu nome, cantando: "Eu te amo, sim, eu te amo, eu te amo, é pecado contar mentiras...".

"Ah, Roz", disse Lil, "às vezes eu tenho tanto medo."

"Bobagem. Não se preocupe. Eles logo se cansam das velhas e saem atrás de moças da própria idade."

O tempo passou.

Ian foi fazer faculdade, aprender sobre negócios, dinheiro e computadores, para trabalhar nas lojas de esporte e ajudar Lil — logo tomaria o lugar do pai. Tom resolveu entrar para o ramo da administração teatral. O melhor curso, em todo o país, era na universidade do pai, e parecia óbvio que era para lá que ele deveria ir. Harold escreveu e ligou, dizendo que havia lugar suficiente na casa que agora dividia com a mulher e a nova filha. Harold e Roz divorciaram-se sem brigas. Tom porém disse que ficaria onde estava, na cidade que era seu lar, não queria ir para o norte. Havia um curso bom o bastante ali mesmo, e, além disso, sua mãe era uma formação por si só. Harold foi até lá para argumentar com o filho, planejando dizer que o fato de Tom não querer sair de casa era sinal de que continuava preso à barra da saia da mãe, mas ao se ver diante do filho, um jovem de aspecto resolvido e no controle de tudo, bem mais velho que sua idade real, não conseguiu lançar uma acusação tão obviamente injusta. No período em que Harold ficou ali, vários dias, Ian teve de dormir em casa, e Tom também, na sua própria casa, e nenhum dos quatro gostou disso. Harold percebeu que torciam para que ele se fosse; ninguém queria sua presença. Sentiu-se constrangido, sem graça, e disse a Roz que era óbvio que os dois rapazes já não tinham mais idade para ficar tanto tempo com mulheres mais velhas. "Bem, nós não prendemos ninguém em coleiras", disse Roz. "Eles são livres para fazer o que quiserem."

"Não sei, não", acabou dizendo Harold, derrotado. E voltou para sua nova família.

Tom matriculou-se na faculdade para fazer gestão teatral, direção de cena, iluminação de palco, guarda-roupa e história do teatro. O curso levaria três anos.

"Nós estamos todos trabalhando feito mouros", disse Roz em voz alta para Harold, ao telefone. "Não sei do que você está se queixando."

"Você deveria casar de novo", disse-lhe o ex-marido.

"Mas, se você não conseguiu me agüentar, quem conseguiria?", perguntou Roz.

"Ah, Roz, é que eu sou um sujeito antiquado, do tipo família. E você tem de admitir que não se encaixa muito bem nesse modelo."

"Escute. Você me largou. Arranjou sua mulher ideal. Agora, me deixe em paz. Saia da minha vida, Harold."

"Espero que você não esteja falando sério."

Enquanto isso, Saul Butler cortejava Lil.

Isso acabou se tornando uma espécie de piada para todos eles, inclusive para Saul. Ele chegava com flores e doces, revistas, um pôster, quando via Lil entrar na casa da amiga, e dizia, em voz alta: "Aqui está o velho fiel." As mulheres faziam piada disso, Roz às vezes até fingia que as flores eram para ela. Ele também visitava Lil em casa, mas saía imediatamente se Tom estivesse lá, ou Ian.

"Não", dizia Lil, "sinto muito, Saul. É que não consigo me ver casada de novo."

"Mas você está ficando velha, Lil. Os anos estão passando. E aqui está o velho fiel. Você vai se sentir satisfeita comigo, um dia." Ou então ele dizia a Roz: "Lil vai ficar satisfeita de ter um homem em casa um dia desses".

Certa vez, os garotos, ou jovens, estavam se aprontando para ir surfar no mar aberto quando Saul chegou, com flores para as duas. "Agora, vocês duas, sentem-se", disse ele. E elas sentaram, sorrindo, sentaram e esperaram.

Os rapazes estavam na varanda que dava para o

mar, recolhendo as pranchas de surfe, as toalhas, os óculos. "Oi, Saul", disse Tom. Uma longa pausa, antes de Ian dizer: "Olá, Saul". O que significava que Tom o havia cutucado.

Ian se ressentia de Saul, tinha medo dele. Dissera a Roz: "Ele quer tirar a Lil de nós". "Você quer dizer de você." "É. E ele quer me pegar também. Um filho já pronto. Por que ele não faz os dele?"

"Pensei que eu já tivesse pegado você."

Instante em que Ian saltou para ela, ou sobre ela, demonstrando quem tinha pegado quem.

"Que encanto", disse Roz.

"E o Saul pode ir se ferrar", tinha dito Ian.

Saul esperou até que os dois estivessem descendo a trilha, em direção ao mar, antes de falar: "Agora escutem. Eu quero propor isso a vocês duas. Quero me casar de novo. No que me diz respeito, Lil, você é a escolhida. Mas terá que decidir".

"Não adianta insistir", disse Roz, e Lil apenas deu de ombros. "A gente entende que você é um belo partido, tanto quanto uma mulher pode querer."

"E de novo você fala por Lil."

"Ela já falou por si muitas vezes."

"Mas vocês duas ficariam melhor com um homem", disse ele. "Vocês duas, sem homens, e os dois rapazes. É muita coisa boa demais."

Um momento de choque. O que ele estava dizendo? Insinuando?

Mas Saul, o galante pretendente, continuou. "Vocês são duas mulheres bonitas. Vocês duas são tão...", e de repente parecia que lhe faltavam palavras, seu rosto mostrava que por dentro lutava com emoções, emoções violentas, até que os músculos enrijeceram. Em seguida balbuciou: "Ai, meu Deus...", olhou de novo para elas, de Lil para Roz e de Roz para Lil. "Meu Deus", repetiu. "Vocês devem me achar um bobo idiota." A voz não tinha inflexão nenhuma — o choque fora fundo.

"Eu sou um idiota", disse de novo. "Então é isso."

"O quê?", disse Lil. "Do que você está falando?" A voz dela saiu tímida, por causa do que ele poderia dizer. Roz lhe deu um chute por baixo da mesa. Lil simplesmente se curvou para esfregar a mão no tornozelo, ainda olhando para Saul.

"Um idiota", repetiu ele. "Vocês duas devem ter dado boas risadas à minha custa." Levantou-se e saiu na hora. Mal conseguiu atravessar a rua para chegar à própria casa.

"Ah, entendo", disse Lil. Estava prestes a ir atrás dele, mas Roz disse: "Pare. Isso é muito bom, você não percebe?".

"E agora vai circular pela cidade toda que somos lésbicas", disse Lil.

"E daí? Provavelmente não seria a primeira vez. Afinal, quando se pensa no quanto as pessoas falam."

"Eu não estou gostando", disse Lil.

"Deixe que comentem. Quanto mais, melhor. Assim ficamos todos em segurança."

Não demorou para que fossem ao casamento de Saul com uma bela jovem que se parecia com Lil.

Os dois filhos ficaram satisfeitos. Mas as duas falaram uma à outra: "Nenhuma de nós vai achar de novo um partido melhor do que o Saul". Essa foi Lil.

"Não", concordou Roz.

"E o que vamos fazer quando os meninos se cansarem das duas velhas?"

"Vou chorar até mais não poder. Vou entrar em declínio."

"Nós vamos envelhecer elegantemente", disse Lil.

"Nem pensar", disse Roz. "Eu vou resistir até não poder mais."

Ainda não estavam velhas, nem um pouco próximas de envelhecer. Mas tinham mais de quarenta, e os meninos já não eram mais meninos, aquela beleza fantástica sumira. Ninguém imaginaria, vendo os dois, rapazes bonitos, fortes, confiantes, que um dia tivessem atraído olhares cativados tanto pelo espanto quanto pelo desejo ou amor. E as duas, ao lembrar que os dois tinham sido qual dois jovens deuses, reviraram velhas fotografias, mas não conseguiram achar aquilo que sabiam estar lá — assim como, olhando suas velhas fotos, só enxergaram meninas bonitas, mais nada.

Ian já estava trabalhando com a mãe na administração da cadeia de lojas de esporte e tornara-se um cidadão de futuro promissor. Mais difícil ter sucesso no teatro — Tom continuava trabalhando no sopé da montanha e Ian já estava perto do topo. Uma nova posição para Tom, que sempre fora o primeiro, com Ian olhando para ele.

Mas Tom perseverou. Trabalhou. E, como sempre, era um encanto com Lil, freqüentando sua cama o máximo que podia, considerando-se as longas e inconstantes horas do teatro.

"Aí tem você", disse Lil para Roz. "É o começo. Ele está cansando de mim."

Ian porém não mostrava o menor sinal de abrir mão de Roz, ao contrário. Era atencioso, exigente, possessivo, e um dia, quando a viu deitada sobre os travesseiros, logo depois de concluírem o ato do amor, alisando a pele envelhecida e solta do braço, ele deixou escapar um grito, agarrou-a e exclamou: "Não, não faça isso, não faça isso, nunca pense numa coisa dessas. Eu não vou deixar você ficar velha".

"Bem", disse Roz, "isso vai acontecer, queira você ou não."

"Não." E ele chorou, da mesma forma como fizera quando ainda era um menino assustado e abandonado nos braços dela. "Não, Roz, por favor, eu amo você."

"E por isso eu não posso envelhecer, é isso, Ian? Não tenho permissão para envelhecer? Loucura, o garoto ficou louco", disse Roz, dirigindo-se a ouvintes invisíveis, como fazemos quando a sanidade parece ter perdido o poder de escuta.

E, sozinha, ela sentiu apreensão, e, na verdade, espanto. *Era* loucura, a exigência dele para com ela. De fato, parecia que Ian se recusava a pensar que ela envelheceria. Loucura! Mas talvez a doidice seja uma das grandes engrenagens que fazem o mundo girar.

Enquanto isso, o pai de Tom ainda não havia superado a vontade de resgatar Tom. E não fez segredo disso. "Eu vou salvá-lo dessas duas *femmes fatales*", disse ele ao telefone. "Venha para cá e deixe que seu pai cuide de você."

"Harold vai me salvar do seu domínio", disse à mãe, a caminho da cama de Lil. "Você é má influência."

"Meio tarde para isso", disse Roz.

Tom passou duas semanas na cidade do pai. À noite, uma pequena caminhada o levava até um cerrado arenoso vigiado por gaviões em giros constantes. Tornou-se amigo de Molly, a sucessora de Roz, de sua meia-irmã, com oito anos de idade, e de um novo bebê.

Era uma casa ruidosa, centrada nas crianças, mas Tom disse a Ian que achou tudo muito tranqüilo.

"Que bom que finalmente nos conhecemos", disse Molly.

"E agora", disse Harold, "veja se não demora a voltar."

Tom não demorou. Aceitou uma oferta para dirigir *West side story* no teatro da universidade e disse que ficaria hospedado na casa do pai.

Como de hábito, as jovens amontoaram-se em volta e não o deixaram. "Já era tempo de você casar, segundo seu pai", disse Molly.

"Ele acha isso, é?", disse Tom. "Quando chegar a hora certa, eu me caso."

Estava com vinte e tantos anos, já. Seus colegas de classe, seus contemporâneos, estavam casados ou tinham "parceiras".

Havia uma moça de quem gostava, talvez por ser tão diferente de Lil e de Roz. Era uma garota pequena, de cabelos escuros, rosto corado, bastante bonita, que flertava com ele de um jeito que não exigia nada. Porque ali, tão longe de casa, da mãe e de Lil, entendeu quantas exigências e laços o prendiam. Admirava sua mãe, ainda que ela o irritasse um pouco, e amava Lil. Não conseguia imaginar-se na cama com outra pessoa. Mas havia amarras, e que amarras, e para Ian também, ele que era um irmão, na verdade, se bem que não de fato. Lá embaixo — era assim que chamava sua cidade, seu lar —, era tudo tão parte do mar que, quando estava na cidade do pai, e ouvia o vento soprando no mato, escutava o barulho das ondas. "Lá embaixo eu não sou livre."

Ali em cima ele era. Resolveu aceitar a oferta para trabalhar numa outra produção. O que significou mais três meses "ali em cima". A essa altura já o aceitavam, a ele e a Mary Lloyd, como uma unidade, "um único item". Tom ouvia essa caracterização dele e de Mary de forma passiva. Não dizia nem sim nem não, apenas ria. Mas era Mary quem ia com ele ao cinema ou voltava com ele para a casa do pai para refeições especiais.

"Você poderia ter se saído muito pior", disse Harold ao filho.

"Mas não estou fazendo nada, até onde posso ver", disse Tom.

"É mesmo? Acho que ela vê as coisas de outra forma."

Mais tarde, Harold disse a Tom: "Mary me perguntou se você é veado".

"Gay?", disse Tom. "Não que eu saiba."

Era hora do café-da-manhã, a família toda reunida à mesa, a menina observando o que se passava, como fazem as crianças, a bebezinha balbuciando de modo encantador no cadeirão. Uma cena deliciosa. Uma parte de Tom ansiava por isso, em nome do futuro e de si mesmo. Tudo o que seu pai sempre quis foi uma vida normal em família, e lá estava ela.

"Então qual o problema?", perguntou Harold. "Há uma outra moça esperando você, é isso?"

"Pode-se dizer que sim", disse Tom, servindo-se calmamente de uma coisa e de outra.

"Então você devia deixar a Mary ir embora", disse Harold.

"Isso mesmo", disse Molly, defendendo seu sexo. "Não é justo."

"Eu não sabia que a tinha amarrado."

"Tom", disse o pai.

"Não se faz uma *coisa* dessas", disse a mulher do pai.

Tom não fez nenhum comentário. E foi para a cama com Mary. Até então só tinha dormido com Lil, ninguém mais. Esse corpo jovem e elástico foi delicioso, ele gostou de tudo, e sentiu uma calma satisfação quando Mary disse: "Eu pensei que você fosse gay, pensei mesmo". Era óbvio que estava agradavelmente surpresa.

De modo que foi assim. Mary ia com freqüência passar a noite com Tom na casa de Harold e Molly, tudo muito *en famille* e confortável. Se não havia menção a casamentos, era apenas porque a escolha fora usar o tato. E também por alguma outra coisa, ainda mal definida. Na cama, Mary espantara-se ao ver a cicatriz da mordida na canela de Tom. "Meu Deus", disse ela. "O que foi isso? Um cachorro?" "Isso foi uma mordida de amor", respondeu ele, depois de pensar um pouco. "Quem haveria de imaginar..." E Mary, de brincadeira, tentou encaixar a boca sobre a mordida, mas viu a perna de Tom, e depois Tom, afastando-se dela. "Não faça isso", disse ele, e até aí nenhum problema. Só que depois, numa voz que ela ainda não tinha ouvido, nem nada parecido, ele disse de novo: "Nunca mais se atreva a fazer isso".

Ela o encarou e começou a chorar. Tom simplesmente se levantou e foi ao banheiro. Voltou vestido e não olhou para ela.

Havia algo ali... algo ruim... algum lugar onde ela não podia entrar. Mary compreendeu isso. Ficou tão chocada com o incidente que quase terminou tudo ali mesmo, na hora.

Tom pensou em voltar para casa. O que ele gostava, no fato de estar "ali em cima", era a liberdade, e essa deliciosa condição evaporara.

A cidade começou a aprisioná-lo. Não era uma cidade grande, mas a questão não era essa. Ele até que gostava, como lugar para se viver, dos bairros horizontais em volta de um campus e também de alguns negócios, e, ao redor, o deserto de vegetação rasteira. Podia sair do teatro universitário, depois de um ensaio, e em dez minutos estava rodeado por arbustos espinhentos de cheiro forte, com os pés sobre uma areia amarela grossa, onde espinhos caídos funcionavam como pálidas faíscas de aviso: cuidado, não pise em nós, nós podemos furar até as solas mais grossas. À noite, depois de uma apresentação ou ensaio, saía direto para o escuro e ficava escutando os grilos, e, acima, o céu despoluído cintilava e irradiava fogos coloridos. Quando voltava para casa, Mary podia estar esperando por ele.

"Aonde você foi?"

"Andar um pouco."

"Por que não me disse? Eu também gosto de andar."

"Eu sou meio lobo solitário, sou o gato que gosta de andar sozinho. De modo que, se não for esse o seu estilo, desculpe."

"Ei", disse Mary. "Não precisa arrancar minha cabeça fora."

"Bem, é melhor que você saiba logo onde está se metendo."

Ao ouvir isso, Harold e Molly trocaram um olhar — isso era um compromisso, sem dúvida? E Mary, escutando uma promessa, disse: "Eu gosto de gatos. Felizmente".

Mas, lá no fundo, estava chorosa e com medo.

Tom parecia inquieto, o humor mudava muito. Estava infeliz, mas não sabia. Nunca se sentira infeliz na vida. Não reconheceu a dor pelo que era. Há pessoas que nunca ficam doentes, são inimaginavelmente saudáveis, aí que um dia adoecem e sentem-se tão afrontadas, tão envergonhadas que podem até morrer. Tom representava o equivalente emocional de uma pessoa assim.

"O que é isso? O que tem de errado comigo?", gemia ele, ao acordar com um peso enorme no peito. "Eu gostaria de continuar aqui na cama e cobrir a cabeça com as cobertas."

Mas por quê? Não havia nada de errado com ele.

Até que uma noite, sob as estrelas, sentindo tanta tristeza que seria capaz de uivar para elas, disse consigo: "Santo Deus, eu estou muito infeliz. Sim, meu problema é esse".

Conversando com Mary, disse que não estava bem. Quando ela demonstrou solicitude, ele respondeu: "Me deixe em paz".

Da periferia da cidadezinha, estradas que logo se tornavam trilhas corriam para o deserto, para lugares onde os estudantes faziam seus piqueniques e excursões. Entre os caminhos mais usados, veredas quase invisíveis uniam arbustos aromáticos que, durante o dia, viviam cercados de borboletas e, à noite, enviavam ondas de cheiro para atrair morcegos. Tom saiu andando pela estrada asfaltada, pegou uma trilha empoeirada, saiu dela e virou numa vereda esmaecida que ia dar num morro baixo, cheio de rochas, uma delas grande e chata, que mantivera o calor do sol até aquela hora. Tom deitou-se nessa rocha quente e deixou que a infelicidade o tomasse.

"Lil", sussurrou ele. "Lil."

Soube, enfim, que estava com saudade de Lil, o problema era esse. Por que a surpresa? Vagamente, esse tempo todo, tinha pensado que um dia arrumaria uma moça de sua idade e então... mas era tudo tão vago. Lil sempre fizera parte de sua vida. Deitado de bruços sobre a pedra, cheirou-a, um ligeiro quê metálico, poeira morna, cheiros vegetais de plantas pequenas nascidas nas fendas. Estava pensando no corpo de Lil, que sempre cheirava a sal, a mar. Ela era como uma criatura marítima, entrando na água e saindo, o sal secando em seu corpo, entrando de novo. Mordeu o braço, lembrando que sua memória mais antiga era de ter lambido sal dos ombros de Lil. Era um jogo que eles tinham, o garoto e a amiga mais antiga da mãe. Cada centímetro de seu corpo estivera à disposição das mãos fortes de Lil desde que nascera, e o corpo dela era-lhe tão familiar quanto o dele. Viu de novo os seios de Lil, apenas cobertos pela parte de cima do biquíni, a marca pálida da areia cintilante entre os peitos, o brilho de minúsculos grãos de areia sobre os ombros.

"Eu costumava lambê-la por causa do sal", sussurrou. "Feito um animal no cocho."

Ao voltar, já bem tarde, com a casa às escuras, não conseguiu dormir e sentou-se para escrever a Lil. Escrever cartas nunca fora seu estilo. Ao se dar conta de que sua letra era ilegível, lembrou-se de uma velha máquina portátil que ficava guardada debaixo da cama, tirou-a de lá e datilografou, tentando abafar as pancadas com uma toalha enrolada sobre a máquina. Mas Molly ouviu, bateu na porta e disse: "Não está conseguindo dormir?". Tom pediu desculpas e parou.

Pela manhã, terminou a carta, pôs no correio e escreveu outra. O pai, espiando para ver a quem estava endereçada, disse: "Quer dizer então que você não escreveu para sua mãe?".

Tom disse: "Não. Como você mesmo viu". A vida em família tinha suas desvantagens, concluiu.

Dali em diante, escrevia as cartas para Lil da universidade e enviava ele mesmo.

Molly lhe perguntou qual era o problema e ele disse que não estava se sentindo em plena forma, e ela então disse que ele deveria ir ver um médico.

Mary lhe perguntou qual era o problema e ele disse: "Eu estou bem".

Ainda assim não voltou "lá para baixo"; ficou onde estava, no norte, ou seja, ficou com Mary.

Escrevia diariamente para Lil e respondia a suas cartas, ou melhor, aos bilhetes que ela às vezes mandava; telefonava para a mãe, ia vagar no deserto tanto quanto possível e dizia a si mesmo que superaria a fase. Não havia por que se preocupar. Enquanto isso, seu coração era um naco de fria solidão e ele sonhava tristemente.

"Escute", disse Mary, "se você quer terminar com tudo, diga logo."

Ele reprimiu um "terminar com tudo o *quê?*" e disse: "Me dê um tempo".

Um dia, no impulso, ou talvez porque soubesse que logo teria de decidir se aceitava ou não outro contrato, ele disse ao pai: "Estou indo".

"E a Mary?", perguntou Molly.

Ele não respondeu. De volta a casa, já estava com Lil e na cama dela em menos de uma hora. Mas não era a mesma coisa. Ele já podia estabelecer comparações, e assim fez. Não é que Lil fosse *velha* — ela era bonita, como ele mesmo não parava de sussurrar e cochichar: "Você é tão linda" —, mas havia alguém que o reivindicava, Mary, e isso não era nem mesmo pessoal. Mary, ou outra mulher, importava isso? Um dia, em breve, precisaria — teria de... todos esperavam isso dele.

Nesse ínterim, Ian parecia estar se saindo muito bem com Roz. Com a mãe dele, de Tom. Ian não dava a impressão de estar infeliz, ou sofrendo, longe disso.

E então Mary chegou e encontrou os quatro preparando-se para ir à praia. Nadadeiras e óculos foram providenciados para ela, e uma prancha de surfe. Meia hora depois de chegar, já estava pronta para embarcar, junto com os dois rapazes, no mar selvagem, mau e perigoso que ficava longe dessa baía segura. Um pequeno barco a motor levaria os três até lá. Dessa forma, essa moça bonita, tão lisa e brilhante quanto um peixe, passou a rir e a brincar com Tom e Ian, e as duas mulheres mais velhas, sentadas em suas cadeiras, olhando por trás de óculos escuros, viram o barco aproximar-se e levá-los.

"Ela veio por causa do Tom", disse a mãe de Tom.

"É, eu sei", disse a amante de Tom.

"Ela é bem simpática", disse Roz.

Lil não abriu a boca.

Roz disse: "Lil, eu acho que é hora de nós pararmos".

Lil não abriu a boca.

"Lil?" Roz virou a cabeça na direção dela e afastou os óculos para ver melhor.

"Acho que eu não conseguiria suportar", disse Lil.

"Mas nós temos que acabar com isso."

"Ian não tem namorada."

"Não, mas devia ter. Lil, eles já têm quase trinta anos."

"Eu sei."

Lá ao longe, onde ficavam as rochas negras pontudas rodeadas de espuma branca, na boca da baía, três figuras minúsculas acenaram para ambas, antes de sumir de vista na praia maior.

"Nós temos que nos unir e terminar com isso", disse Roz.

Lil chorava sem fazer barulho. Depois Roz também começou a chorar.

"Nós temos que acabar com isso."

"Eu sei que temos."

"Venha, vamos nadar."

As mulheres nadaram rápido e bastante, para fora, para dentro e ao redor da baía, voltaram para a praia e foram direto para a casa de Roz, preparar o almoço. Era domingo. Pela frente, teriam uma tarde longa e difícil.

Lil disse: "Tenho que trabalhar", e foi para uma de suas lojas.

Roz serviu o almoço, pedindo desculpas pela ausência de Lil, e depois disse que também ela tinha coisas para fazer. Ian falou que iria com ela. Isso deixou Tom e Mary sozinhos e as cartas foram postas na mesa. "Ou estamos juntos ou não estamos", disse Mary. "É sim ou não." "Há muitos peixes no mar." "Já é tempo de ele amadurecer." Esse tipo de coisa, conforme determina a ocasião.

Quando os outros voltaram, Mary anunciou que ela e Tom iriam casar-se, vieram os cumprimentos e uma noite ruidosa. Roz cantou várias canções, Tom fez coro, todos cantaram. E, quando chegou a hora de dormir, Mary ficou com Tom, na casa dele, e Ian foi para casa com Lil.

Depois Mary voltou para casa, para planejar o casamento.

E agora tinha de ser feito. As duas mulheres disseram aos rapazes que era hora de terminar. "Está encerrado", disse Roz.

Ian exclamou: "Como assim? Por quê? Eu não vou me casar".

Tom, sentado em silêncio, o maxilar cerrado, bebia. Encheu sua taça de vinho, esvaziou-a, encheu-a de novo, bebeu, sem dizer nada.

Por fim, disse a Ian: "Elas estão certas, será que você não percebe?".

"Não", gritou Ian. Foi para o quarto de Roz e chamou-a, e Tom foi com Lil para a casa dela. Ian chorou e implorou. "Por quê, para quê? Nós somos perfeitamente felizes. Por que você quer estragar tudo?" Mas Roz agüentou firme. Era um bloco de determinação, insensível, e só quando ela e Lil ficaram sozinhas, depois que os homens saíram para discutir a questão, é que choraram e disseram que não iriam suportar. Estavam com o coração partido, disseram, como é que conseguiriam viver, seria insuportável.

Quando os homens voltaram, as mulheres estavam com o rosto marcado de lágrimas, mas firmes.

Lil disse a Tom que ele não poderia ir com ela para casa e Roz disse a Ian que ele deveria ir com Lil.

"Você arruinou tudo", disse Ian a Roz. "É tudo culpa sua. Por que não pôde deixar as coisas como estavam?"

Roz fez pilhéria: "Alegre-se. Nós vamos nos tornar senhoras respeitáveis, isso mesmo, suas mal-afamadas mães vão se tornar pilares da virtude. Seremos sogras perfeitas e haveremos de nos tornar avós magníficas para os seus filhos".

"Eu nunca vou perdoá-la por isso", disse Ian a Roz.

E Tom disse a Lil, em voz baixa, para ela apenas: "Eu nunca vou esquecer você".

Agora, isso era uma despedida quase convencional. Significava — com certeza? — que o coração de Tom muito provavelmente não iria sofrer danos permanentes.

O casamento, desnecessário dizer, foi um grande acontecimento. Mary decidira não se deixar suplantar pela sogra admirável, mas descobriu que Roz estava sendo a alma da sutileza, num traje muito discreto. Lil estava elegante, pálida, sorridente e, assim que o casal feliz partiu para a lua-de-mel, saiu para nadar na praia, e Roz, uma boa anfitriã, não pôde ir ter com ela porque precisou ficar com seus convidados. Mais tarde, Roz atravessou a rua para ver como Lil estava, mas a porta do quarto estava trancada, e ela não respondeu às batidas e perguntas. Ian, como padrinho, tinha feito um discurso engraçado e simpático, e, encontrando-se com Roz na rua, quando ela voltava da casa de Lil, disse: "Então? Está contente, agora?". E também ele saiu correndo para o mar.

Roz viu-se sozinha na casa vazia, deitou-se na cama e por fim conseguiu chorar. Quando escutou batidas na porta, que sabia serem de Ian, rolou angustiada pelo colchão, com a mão na boca.

Assim que a lua-de-mel acabou, Mary disse a Tom, e Tom transmitiu à mãe, que a mulher dele achava que Roz deveria se mudar e deixar a casa para o casal. Fazia sentido. Era uma casa grande, adequada para uma família. O problema era financeiro. Anos antes, quando a região não era muito procurada, o preço da casa era viável, mas agora era uma área chique e só os ricos podiam pagá-la. Num gesto impulsivo, descuidado e generoso, Roz deu a casa ao jovem casal, como presente de casamento. E onde ela iria morar? Não poderia comprar uma igual. Foi para um pequeno hotel mais ao sul e, pela primeira vez na vida, desde que nascera, não estava morando mais a poucos metros de Lil. De início, não entendeu por que se sentia tão irrequieta, triste, desolada, punha tudo na conta de ter aberto mão de Ian, mas com o tempo compreendeu que era de Lil que sentia saudade, quase tanto quanto de Ian. Era como se tivesse perdido tudo, praticamente de uma semana para a outra. Mas Roz não era de ficar pensando muito, por natureza — era como Tom, que sempre se surpreendia com suas emoções quando era forçado a reparar nelas. Para lidar com a sensação de vazio e perda, aceitou uma proposta da universidade para ser professora de teatro em tempo integral, dedicou-se ao cargo, nadava duas vezes ao dia e tomava comprimidos para dormir.

Mary logo ficou grávida. Piadas do tipo tradicional eram dirigidas a Ian, entre outros por Saul. "Você não vai deixar seu amigo tomar a frente, vai? Quando vai ser sua vez de casar?"

Ian também trabalhava muito. Estava tentando não se dar tempo para pensar. Familiarizado com pensamentos, reflexões e introspecção, tinha a impressão de que todos eram inimigos esperando para derrubá-lo. Havia uma nova loja abrindo na cidade onde Harold morava. Eles esperavam um filho. Ian não ficou na casa de Harold, hospedou-se num hotel, mas claro que visitava Harold, que fora como um pai para ele — como ele dizia. Lá conheceu uma amiga de Mary, que lhe dera atenção no casamento. Hannah. Não desgostava dela, aliás; Hannah o agradava, com seu jeito tranqüilo, claramente materno, mas ele estava em um espaço vazio e cheio de ecos e não conseguia imaginar-se fazendo amor com alguém que não fosse Roz. Nadava todas as manhãs na praia "deles", às vezes via Roz por lá, e a cumprimentava, mas depois virava o rosto, como se vê-la o magoasse — e magoava. E, com muito mais freqüência, ia de barco a motor até as praias de surfe. Ele e Tom sempre tinham ido juntos, mas Tom estava ocupado com Mary e o novo bebê.

Um dia, vendo Roz secar-se na areia, o barqueiro, que fora até a praia com o fim específico de encontrá-la, desligou o motor, deixou que o barco ficasse boiando nas ondas suaves, pulou dentro da água, puxou o barco atrás como um cachorro na coleira para lhe dizer: "Senhora Struthers, Ian está fazendo umas coisas meio esquisitas lá. É muito bonito de olhar, mas ele está me dando medo. Se vir a mãe dele — ou talvez a senhora...".

Roz respondeu: "Ora vejam. Dizer a um homem como Ian que surfe em segurança, isso é mais do que vale a vida de uma mãe. Ou a minha, para falar a verdade".

"Alguém deveria avisá-lo. Ele está procurando encrenca. Aquelas ondas lá, a pessoa precisa respeitá-las."

"Você avisou?"

"Tentei o melhor que pude."

"Obrigada", disse Roz. "Vou falar com a mãe dele."

Roz passou o recado a Lil, que disse ao filho que ele andava correndo riscos demais. Se o velho barqueiro estava preocupado, era porque isso significava algo. Ian respondeu: "Obrigado".

Um final de tarde, o sol já se pondo, o barqueiro foi à procura de Roz ou de Lil na praia, mas teve de subir até a casa, onde encontrou Mary; Ian tinha-se espatifado no mar.

Ele foi então para o hospital. Ouvindo do médico a frase "você vai viver", seu rosto disse simplesmente que gostaria de ter escutado outra coisa. Havia machucado a espinha. Mas isso com certeza iria sarar. A perna ferida, porém, jamais voltaria ao normal.

Saiu do hospital e ficou de cama em casa, num quarto que durante anos fora pouco mais que um lugar onde trocava de roupa antes de atravessar a rua para ir à casa de Roz. Mas nessa casa agora viviam Tom e Mary. Ian virou a cabeça para a parede. Sua mãe tentou fazê-lo levantar-se da cama, mas não conseguiu convencê-lo a se exercitar. Lil não pôde, mas Hannah podia e fez. Ela apareceu para visitar sua velha amiga Mary, dormia na casa e passava a maior parte do tempo sentada, segurando a mão de Ian, muitas vezes banhada em lágrimas de compreensão.

"Para um atleta deve ser tão duro", ela vivia dizendo para Lil, para Mary, para Tom. "Entendo bem por que ele se sente tão desanimado."

Uma boa palavra, uma palavra certeira. Ela convenceu Ian a voltar-se para ela e, então, rapidamente, a levantar-se, a dar os passos prescritos de um lado para o outro do quarto, depois na varanda e, logo, na rua e na praia. Entretanto Ian nunca mais poderia surfar. Estava manco para sempre.

Hannah beijava a pobre perna, beijava-o e Ian chorava com ela — as lágrimas de Hannah davam-lhe permissão para chorar. E não demorou para que houvesse um outro casamento, ainda maior, já que Ian e sua mãe, Liliane, eram muito conhecidos, suas lojas de esportes traziam benefícios para todas as cidades em que tinham se estabelecido, e ambos eram famosos por suas boas causas e sua benemerência geral.

De modo que lá estavam eles, o jovem casal, Ian e Hannah, na casa de Lil, com Lil. Do outro lado da rua, a antiga casa de Roz era agora de Tom e de Mary. Lil não se sentia bem em seu papel de sogra, e ficava triste toda vez que via a casa do outro lado da rua, agora tão mudada. Mas, afinal, ela era rica, ao contrário de Roz. Comprou uma das casas que ficavam quase na praia, nem a cem metros de onde moravam os dois jovens casais, e Roz mudou-se para lá. As mulheres voltaram a ficar juntas e Saul Butler, quando as encontrou, permitiu-se fazer um comentário sarcástico especial a respeito: "Ah, juntas de novo, pelo que vejo!". "Como pode ver", disse Roz ou então Lil. "Não conseguimos enganá-lo, não é mesmo, Saul?", disse Lil ou então Roz.

Um dia Hannah ficou grávida e Ian mostrou-se adequadamente orgulhoso.

"Acabou tudo bem", disse Roz a Lil.

"É, imagino que sim", disse Lil.

"O que mais poderíamos esperar?"

Elas estavam na praia, em suas velhas cadeiras, em frente à nova cerca.

"Eu não esperava nada", disse Lil.

"Mas?"

"Não esperava me sentir do jeito como me sinto", disse Lil. "Eu me sinto..."

"Certo", disse Roz, rapidamente. "Mas deixa para lá. Eu sei. Mas olhe dessa forma, nós tivemos..."

"O melhor", disse Lil. "Agora todo aquele tempo me parece um sonho. Não acredito que tenha existido tamanha felicidade, Roz", sussurrou ela, virando a cabeça e debruçando-se um pouco, embora não houvesse ninguém a menos de cinqüenta metros.

"Eu sei", disse Roz. "Bom — mas já foi." E recostou-se de volta na cadeira, fechando os olhos. Sob os óculos escuros, as lágrimas escorriam.

Ian viajava bastante com a mãe, para visitar as lojas. Em toda parte era cumprimentado com uma generosidade afável, respeitosa. Sabia-se como ficara manco. Tão tolamente aventureiro quanto um herói do Everest, tão corajoso quanto — bem, como um homem tentando ultrapassar uma onda do tamanho de uma montanha —; ele era tão bonito, tão educado, um tremendo cavalheiro, tão bondoso. Era como a mãe.

Numa dessas viagens, eles estavam em sua suíte de hotel, já quase na hora de dormir, e Lil dizia que iria ficar um dia com Alice, quando voltassem, para que Mary tivesse a chance de ir às compras.

Ian disse: "Vocês duas estão muito satisfeitas consigo mesmas".

Era um comentário maldoso, nem parecia ter saído de Ian; era a primeira vez que escutava — refletiu — aquela voz no filho.

"É isso mesmo", continuou ele, "para vocês, tudo bem."

"O que está querendo dizer com isso, Ian, o quê?"

"Não estou culpando você. Eu sei que foi a Roz."

"Como assim? Fomos nós duas."

"Foi a Roz que pôs essa idéia na sua cabeça. Eu sei disso. Você jamais teria pensado nisso. Pior para o Tom. Pior para mim."

Ao ouvir isso, ela começou a rir, uma risada frágil, defensiva. Estava pensando nos anos com Tom, vendo o garoto lindo transformar-se em homem, vendo a passagem do tempo a reivindicá-lo, sabendo como teria de terminar, teria de terminar, depois terminou, ela tinha de terminar... ela e Roz... mas foi tão difícil, tão difícil...

"Ian, sabe que você parece meio louco quando diz coisas assim?"

"Por quê? Eu não vejo assim."

"Como você achou que seria? Que nós continuaríamos juntos, indefinidamente, depois você e Tom, dois homens de meia-idade, solteiros, e Roz e eu, velhas, e aí vocês dois, velhos, sem família, e Roz e eu, velhas, velhas, velhas... nós estamos ficando velhas, será que você não vê?"

"Não, não estão", disse o filho, com toda a calma.

"Nem um pouco. Você e a Roz dão de dez a zero em qualquer garota."

Será que estava se referindo a Hannah e Mary? Se estivesse... o vestígio, nessa frase, de pura loucura neurótica a deixou assustada e Lil levantou-se. "Eu vou dormir."

"Foi Roz quem deu a idéia. E eu não perdôo você por ter concordado. Mas ela que nunca pense que vou perdoá-la por ter estragado tudo. Nós éramos tão felizes."

"Boa noite, a gente se vê no café."

Hannah teve seu bebê, Shirley, e as duas jovens passavam muito tempo juntas. As duas mulheres mais velhas, e os maridos, esperavam nova gravidez — sem dúvida o passo mais lógico. E então, para surpresa deles, Mary e Hannah anunciaram que iriam abrir um negócio. De imediato, veio a sugestão de que deveriam trabalhar nas lojas de esporte — teriam expediente flexível, poderiam ir e vir como quisessem, ganhar um pouco de dinheiro... E, era o corolário, poderiam encaixar o segundo bebê numa agenda tranqüila.

Elas disseram que não, que queriam começar um novo negócio, as duas sozinhas.

"Espero que possamos ao menos ajudá-las com dinheiro", disse Ian, e Hannah respondeu: "Não, obrigada. O pai da Mary vai nos ajudar. Ele tem muito dinheiro". Quando Hannah falava, era em geral o pensamento de Mary que eles escutavam. "Nós queremos ser independentes", continuou Hannah, como quem pede desculpa, ela própria percebendo que soara meio rude, para dizer o mínimo.

As mulheres saíram para visitar suas famílias, durante um fim de semana, levando os bebês junto, para mostrá-los.

Os quatro, Lil e Roz, Ian e Tom, sentaram-se à mesa da casa de Roz — da antiga casa de Roz —, e o som das ondas disse que nada havia mudado, nada... a não ser a parafernália toda de Alice que estava espalhada por lá, como é normal na vida das famílias modernas.

"É muito esquisito o que elas querem", disse Roz. "Será que estamos entendendo o porquê? Do que se trata?"

"Nós somos muito — irritantes para elas", disse Lil.

"Nós. Elas", disse Ian. "Elas. Nós."

Todos olharam para ele, para entender o que estava dizendo.

E então Roz explodiu: "Nós tentamos tanto. Lil e eu, nós fizemos todo o possível".

"Eu sei que fizeram", disse Tom. "Nós sabemos disso."

"Mas aqui estamos nós", disse Ian. "Aqui estamos *nós*." Em seguida debruçou-se na direção de Roz e disse, em tom apaixonado, acusatório — muito distante do homem cortês e afável que todos conheciam: "E nada mudou, não é mesmo, Roz? Seja sincera comigo e me diga, mudou alguma coisa?".

Os olhos de Roz, cheios de lágrimas, encontraram os dele, depois ela levantou da mesa para se refugiar no ritual de ir buscar um refresco na geladeira.

Lil disse, olhando calmamente para Tom: "Não adianta, Roz. Por favor *não, não...*". Porque Roz estava chorando, em silêncio, para todos verem, os óculos escuros largados na mesa. Depois pôs os óculos e, dirigindo aqueles círculos escuros para Ian, ela disse: "Eu não entendo o que você quer, Ian. Por que continua a falar nisso? Terminou tudo. Está tudo acabado".

"Quer dizer então que você não entende mesmo", disse Ian.

"Pare com isso", disse Lil, começando a chorar também. "Aonde queremos chegar? Tudo que precisamos fazer é decidir o que dizer a elas, elas querem o nosso apoio."

"*Nós* vamos dizer a *elas* que *nós as* apoiamos", disse Ian, e acrescentou: "Eu vou nadar".

E os quatro correram para o mar, Ian mancando, mas não muito.

É interessante que, na discussão da tarde, entre os quatro, uma certa questão-chave não tenha sido mencionada. Se as duas jovens mulheres queriam abrir um negócio, as avós teriam de cumprir uma função.

E uma segunda discussão, com todos os seis, estava sendo travada sobre a questão.

"Avós que trabalham", disse Roz. "Eu até que gosto disso, e você, Lil?"

"Que trabalham é a expressão certa", disse Lil. "Eu não vou abrir mão das lojas. Como é que vamos encaixar os bebês?"

"Fácil", disse Roz. "Nós vamos fazer tudo ao mesmo tempo. Eu tenho férias longas na universidade. Você tem Ian a seu dispor nas lojas. Temos fins de semana. E eu diria que as jovens mamães vão querer ver seus anjinhos de tempos em tempos."

"Você não está insinuando que nós vamos descuidar de nossas filhas, está?", disse Mary.

"Não, querida, não, nem me passou pela cabeça. Além do mais, tanto Lil quanto eu tivemos moças para nos ajudar com nossos tesouros, não é, Lil?"

"Acho que sim. Mas não muito."

"Ah, bom", disse Mary. "Eu acho que podemos contratar uma babá, se for assim."

"Como você se irrita à toa", disse Roz. "Claro que nós podemos contratar uma babá quando for preciso. Mas, nesse meio-tempo, as avós estão ao seu serviço."

Houve um belo rito no dia em que as duas bebês

foram apresentadas ao mar. Todos os seis adultos estavam lá na praia. Cobertores haviam sido estendidos no chão. As avós, Roz e Lil, em seus biquínis, estavam sentadas com os bebês entre os joelhos, passando bloqueador solar neles. Minúsculas e delicadas criaturas, de cabelos loiros, pele clara, e, em volta, altos, grandes e protetores, os enormes adultos.

As mamães levaram suas filhas para o mar, ajudadas por Tom e por Lil. Houve muita água espalhada, gritos de medo e delícia por parte das pequenas, garantias por parte dos grandes — uma cena ruidosa. E, sentados nos cobertores, onde já havia areia soprada, cintilante, em pequenos punhados, estavam Roz e Ian. Ian olhou longa e intensamente para Roz e disse: "Tire os óculos". Roz tirou.

"Eu não gosto quando você esconde os olhos de mim."

Mais que depressa ela pôs os óculos de novo e disse: "Pare, Ian. Você tem que parar com isso. Não dá *mais*".

Ele estava estendendo a mão para tirar os óculos dela. Roz lhe deu um tapa. Lil tinha visto, de onde estava, com água pela cintura. A intensidade do tapa, dava até para dizer a ferocidade... será que Hannah tinha reparado? Mary, talvez? Um grito de uma das meninas — Alice. Uma grande onda surgira e... "Ele me mordeu", ela gritou. "O mar me mordeu." E lá se foi Ian, pegar Shirley, que também reclamava. "Será que você não percebeu", gritou ele para Hannah, por cima do barulho do mar, "que está assustando a menina? As duas estão assustadas." E, com uma minúscula criança em cada ombro, saiu mancando das ondas. Ele estava sacudindo e balançando as meninas, numa espécie de dança, mas como afundava a cada passo, por causa da perna, elas começaram a gritar mais alto ainda. "Vovó", gemeu Alice; "Eu quero minha avó", soluçou Shirley. As duas foram depositadas nos cobertores, Lil foi ter com Roz e as avós acariciaram e acalmaram as crianças, enquanto os outros quatro nadavam.

"Pronto, já passou, minha pombinha", cantou Roz para Alice.

"Pobrezinha de você", entoou Lil para Shirley.

Pouco depois disso, as duas jovens mulheres estavam em seu novo escritório, no local que seria a cena de seus — elas estavam convencidas disso — futuros triunfos. "Nós vamos fazer uma pequena comemoração", tinham dito, dando a impressão de que haveria associados, patronos, amigos. Mas estavam as duas sozinhas, tomando champanhe e já meio tontas.

Era o fim do primeiro ano do novo negócio. Elas trabalharam duro, muito mais do que esperavam. As coisas tinham saído tão bem que já falavam em expandir. O que significaria mais carga horária e mais trabalho para as avós.

"Elas não se importariam", disse Hannah.

"Acho que se importariam, sim", disse Mary.

Havia algo em sua voz, e Hannah olhou para ver se Mary queria que ela entendesse ou não o que era. Depois, disse: "Não é uma questão de nós trabalharmos feito duas mouras — e de elas trabalharem feito duas mouras —, o que elas querem é que a gente engravide de novo".

"Exatamente", disse Mary.

"Eu não me importaria com isso", disse Hannah. "Eu conversei com Ian sobre o assunto, mas não há pressa. Nós podemos primeiro solidificar nosso negócio e depois ver o que vamos fazer. Mas é isso que elas querem."

"Elas", disse Mary. "*Elas* querem. E o que *elas* querem, elas pretendem ter."

Nessa altura, Hannah mostrou sinais de desassossego. Cordata por natureza, dócil, tinha começado a conversa cedendo às opiniões de Mary, com sua personalidade forte, mas resolveu expor suas idéias. "Eu acho as duas muito gentis."

"Elas", disse Mary. "E quem *elas* acham que são para serem gentis *conosco*?"

"Pare com isso! Nós não poderíamos nem ter

começado esse negócio se as avós não tivessem ajudado com tudo."

"Roz é tão cautelosa o tempo inteiro", disse Mary, e isso explodiu de dentro dela, com a ajuda do champanhe. Servindo-se de mais uma taça, repetiu: "Ambas são tão cautelosas".

"Você deve estar sentindo falta de alguma coisa, para se queixar tanto."

"O que eu sinto é que elas nos observam o tempo todo, para ter certeza de que estamos nos saindo a contento."

"Contento de quem?"

"Eu não sei", disse Mary, com lágrimas prontas para cair. "Bem que eu gostaria de saber. Tem alguma coisa *lá*."

"Elas não querem ser sogras intrometidas."

"Às vezes eu odeio as duas."

"*Odiar*", Hannah descartou, com um sorriso.

"Elas têm os dois nas mãos, será que você não vê isso? Às vezes eu sinto..."

"É porque eles não tiveram pai — os meninos. O pai do Ian morreu e o de Tom foi embora e se casou com outra. É por isso que os quatro são tão próximos."

"Estou pouco me lixando para o porquê. Às vezes eu me sinto um estepe de carro."

"Acho que você não está sendo justa."

"Tom não dá a menor bola para a pessoa com quem se casou. Eu podia ser uma gaivota ou um... ou um... marsupial."

Hannah recostou-se outra vez na cadeira, rindo.

"Falo sério. Verdade que ele é sempre muito gentil. Muito simpático. Eu grito com ele, tento provocar briga, qualquer coisa só para que ele — me veja. E aí, o que vem depois é que estamos na cama, dando uma boa trepada."

Hannah porém não sentia nada parecido. Sabia que Ian precisava dela. E não era só devido à ligeira dependência que tinha dela, por causa da perna manca; às vezes ele se agarrava nela, como criança. Sim, havia algo de infantil nele — nem que fosse só um pouco. Uma noite, tinha dito o nome de Roz, no sono; Hannah acordou-o. "Você estava sonhando com Roz."

Imediatamente desperto e sobressaltado, ele disse: "Não me surpreende. Eu a conheço desde que nasci. Ela foi como minha outra mãe". E enterrou o rosto nos seios dela. "Ah, Hannah, eu não sei o que faria sem você."

Vendo-se contrariada por Hannah, Mary sentiu-se ainda mais sozinha. Antes, ela achava que havia Hannah, pelo menos eu tenho Hannah.

Pensando nessa conversa, depois, Mary percebeu que havia algo que lhe escapava das mãos, algo que não entendia. Sentia-se sempre assim. E, no entanto, do que ela se queixava? Hannah tinha razão. Quando olhava de fora para a situação das duas, casadas com dois homens cobiçados, conhecidos, bem estabelecidos, bem de vida, dos quais todos gostavam — então do que é que *estava* se queixando? Eu tenho tudo, concluiu. Mas então veio uma voz lá do fundo — eu não tenho nada. Ela tinha falta de tudo. "Eu não tenho nada", disse consigo, enquanto era inundada por ondas de vazio. No fulcro mais profundo de sua vida — nada, uma ausência.

No entanto, não conseguia apontar o que era, o que estava errado, o que faltava. De modo que devia haver algo errado com ela. Ela, Mary, era culpada. Mas por quê? Do que se tratava? Questionava-se, então, com tamanha infelicidade, às vezes, que chegava a pensar em fugir da situação para sempre.

Quando achou o maço de cartas, esquecidas numa mala antiga, de início Mary pensou que fossem todas de Lil para Tom, cartas convencionais, do tipo que se espera de uma velha amiga ou até mesmo de uma segunda mãe. Começavam dizendo "Querido Tom" e terminavam "Com amor, Lil" e, às vezes, com uma cruz ou duas significando beijos. Até que surgiu a outra carta, de Tom para Lil, que não havia sido posta no correio. "Por que eu não posso escrever para você, Lil, por que não, eu preciso, eu penso em você o tempo todo, meu Deus, Lil, eu te amo tanto, sonho com você, não consigo ficar longe de você, eu te amo, eu te amo tanto..." e assim por diante, páginas e mais páginas. Então leu de novo as cartas de Lil e enxergou-as sob uma luz diferente. Foi aí que entendeu tudo. Assim, quando parou na trilha onde Hannah aguardava, abaixo dos Jardins de Baxter, e ouviu a risada de Roz, sabia que era um riso de zombaria. Um riso que mofava dela, Mary, e então, por fim, compreendeu. Para ela, estava tudo claro.

Esta obra foi composta em
Spectrum por warrakloureiro,
e impressa em ofsete pela
Geográfica sobre papel Pólen
Bold da Suzano S.A.
para a Editora Schwarcz em
setembro de 2021

A marca FSC® é a garantia de que a madeira utilizada na fabricação do papel deste livro provém de florestas que foram gerenciadas de maneira ambientalmente correta, socialmente justa e economicamente viável, além de outras fontes de origem controlada.